Frauen, die s...

HERDER / SPEKTRUM

Band 4155

Das Buch

Was als Traum einer Frau begann, endet in einem Trauma: Suna, die junge Türkin, wird von ihrem Bruder in der Türkei einem Mann versprochen, der den Traum von einem guten Leben in Deutschland träumt: doch es kommt anders. Saliha Scheinhardt erzählt die authentische Geschichte einer jungen Frau, die von ihrem Mann, vergewaltigt, geschlagen und mit dem Tode bedroht wurde. Sie wird von ihm in die Isolation gezwungen, darf das Haus nicht ohne ihn verlassen. Das Leben wird zur Hölle für sie. In ihrer Not erschlägt sie ihn. Das Gefängnis erlebt sie als Befreiung, obwohl sie unter der Trennung von ihren beiden Kindern leidet. In der Isolation durchlebt sie noch einmal ihre Geschichte, ihre Jugend in einem türkischen Dorf, ihre Hoffnungen und dann die große Desillusionierung. Saliha Scheinhardt ist eine atemberaubende Erzählung gelungen über eine Frau, die um alle Hoffnung gebracht ist, ohne daß sie je gelebt hätte – Und die dennoch die Sehnsucht nicht verläßt, daß »die Guten siegen werden«.

Die Autorin

Saliha Scheinhardt, geb. 1951 in Konya, Türkei, lebt seit 1967 in Deutschland. Gegen den Willen ihrer stark traditionell-religiös orientierten Mutter besuchte sie Volks- und Mittelschule. In Deutschland arbeitete Saliha Scheinhardt zunächst als Textilarbeiterin, Kellnerin und Stewardess, bestand 1970 die Sonderbegabtenprüfung der Pädagogischen Hochschule Göttingen und studierte dort. Ab 1974 unterrichtete sie in Hauptschulen mit vorwiegend türkischen Kindern, war wissenschaftliche Assistentin an dem Forschungsprojekt »Alfa«. Bei Herder/Spektrum Drei Zypressen. Erzählungen über türkische Frauen in Deutschland (4080).

Saliha Scheinhardt

Frauen, die sterben, ohne daß sie gelebt hätten

Erzählung

Herder

Freiburg · Basel · Wien

Alle Rechte vorbehalten – Printed in Germany
Verlag Herder Freiburg im Breisgau 1993
© Dağyeli Verlag, Frankfurt am Main 1991
Satz: Fotosetzerei G. Scheydecker, Freiburg im Breisgau
Druck und Bindung: Freiburger Graphische Betriebe 1993
Umschlagmotiv: Marianne von Werefkin, Die schwarzen Frauen,
um 1910, Privatbesitz
ISBN 3-451-04155-3

Unsere Frauen

Unter dem Mond zogen die Ochsenkarren vorüber.
Sie fuhren über Akçehir geradewegs nach Afyon.
Das Land unter ihnen so endlos,
die Berge so weit,
als würden die Vorbeiziehenden niemals
                ein Ziel erreichen.
Die Ochsenkarren fuhren mit Rädern aus einem
                        [Stück Eiche,
und es waren
die ersten Räder, die unter dem Mond rollten.
Unter dem Mond erschienen die Ochsen
winzig und gedrungen, als kämen sie
                aus einer anderen,
                    sehr kleinen Welt,
und ihre kranken, gebrochenen Hörner glänzten,
und unter ihren Füßen floß
              die Erde,
            Erde und
              nochmals Erde.
Die Nacht war hell und warm,
und auf den Ochsenkarren lagen
die dunkelblauen Geschosse vollkommen nackt
in ihren Holzbetten
Und die Frauen,
sich voreinander verbergend,
blickten unter dem Mond

auf die von früheren Zügen übriggebliebenen Och-
      [senkadaver, die Trümmer der Räder ...
Und die Frauen,
unsere Frauen:
mit ihren unheimlichen und gesegneten Händen,
  mit ihrem schmalen, kleinen Kinn, den großen
          [Augen,
    unsere Mutter, unser Weib, unsere Liebste,
die sterben, ohne daß sie gelebt hätten
und die an unserem Eßtisch
    sich erst nach dem Ochsen setzen dürfen
und die wir in die Berge entführen, deretwegen wir
         [im Gefängnis sitzen,
die bei der Getreide-, Tabakernte, beim Holzsam-
         [meln, auf dem Markt,
die man vor den Holzpflug spannt
und die im Stall,
im Glanz der in den Boden gestoßenen Messer,
mit ihren wiegenden, schweren Hüften und ihren
        [Schellen unser werden,
      die Frauen,
        unsere Frauen,
jetzt unter dem Mond,
hinter den Ochsenkarren und Kartuschen,
war es, als zögen sie in derselben Unbeschwert-
         [heit,
in derselben müden Gewohnheit
Getreide mit Ähren aus Bernstein zum Dresch-
         [platz.

Und auf dem Stahl des 15-cm-Schrapnells
schliefen Kinder mit dünnen Hälsen.
Und unter dem Mond
fuhren die Ochsenkarren über Akçehir geradewegs
[nach Afyon.

Nâzim Hikmet

aus »*Menschenlandschaften aus meinem Land*«

Dies ist kein Klagelied!
Es ist auch nicht die Deutung eines
schrecklichen Traumes!
Dieses ist die Wirklichkeit, die Geschichte
meines kurzen Lebens.

Es sind Monate, Jahre vergangen, seitdem ich hier hinter Gittern in meiner Einsamkeit versunken bin. Der vierte Frühling; ich spüre den Duft der jungen Blätter und des Grases. Ich höre das Zwitschern der Vögel in den Morgenstunden und die Luft in den Zellen, deren kahle, kalte Wände etwas wärmer zu werden beginnen, erzählt mir vom Frühling.

Es macht für uns hier drinnen nicht viel aus, ob Winter oder Sommer ist, ob Schnee oder Blätter die Bäume bedecken. Wir erleben in unseren Zellen die Unmenschlichkeit, die Finsternis, die Kälte. Wir nehmen nicht teil an dem, was draußen ist. Was sich hinter den Mauern befindet, ist uns gleichgültig. Wir sind nur mit einem einzigen Gedanken beschäftigt: dem Tag unserer Entlassung.

Es wird dunkel. Die Fenster liegen hoch, sie sind dicht vergittert. In der ersten Zeit meiner Haft habe ich – regelmäßig wie die festen Mahlzeiten des Tages – geweint, meines Schicksals, meiner Kinder, der Sehnsucht nach der Heimat wegen. Manchmal aus Selbstmitleid, manchmal aber auch ohne Grund. Hier zu sein war Grund genug, um Tag und Nacht zu weinen. Ich fühlte mich einsam, jeder von uns ist hier mit seinem eigenen Schicksal, mit seinem Leid und sich selbst beschäftigt. Anfangs bekam ich fast jeden Tag, an den in den Abend übergehenden Stunden aus Verzweiflung solche hysterischen Anfälle, daß alles um mich herum dunkel war; ich dachte, jetzt ist es aber endlich aus mit dir. Das ließ mit der Zeit nach, ich »normalisierte« mich, die Augen waren schon nach einigen Wochen ausgetrocknet.

Ich hatte wochenlang unter dem Schock meiner Tat gelebt. Es war kein Gespräch mit mir anzufangen, sowieso konnte ich kaum zwei Sätze Deutsch sprechen. Bei den Gerichtsverhandlungen war immer ein Dolmetscher dabei. Hier im Gefängnis ist kein Dolmetscher, wir brauchen hier auch keinen. Ich wollte nicht sprechen und habe mich in den ersten Monaten völlig eingeigelt. Ich dachte nur an das Alltägliche: Wecken, Waschen, Aufräumen, Saubermachen, Essen, Abräumen, Schlafen.

Erst nach einigen Monaten konnte ich die Anordnungen der Aufseherinnen verstehen. Ich habe mich an die anderen gehalten, ich tat, was die anderen taten. Bald erfuhr ich, daß noch zwei Türkinnen in den Nebenzellen waren. Ich hatte nicht einmal das Bedürfnis, sie zu sehen, mit ihnen ein paar Worte zu sprechen, mein Herz auszuschütten. Ich hatte vor den beiden noch mehr Angst als vor den deutschen Frauen. Ich hatte Angst davor, daß sie mich fragen würden, warum ich hier bin. Ich wünschte, nicht immer wieder an die schreckliche Szene erinnert zu werden und nicht zum hundertsten Male meine Verhaftungsgeschichte erzählen zu müssen. Am liebsten wollte ich hier unbekannt bleiben. Doch ist es hier unvermeidlich, daß andere über dich alles erfahren und dann kommt die

Zeit, wo du von selbst anfängst zu erzählen und auch die Frage stellst: »Warum bist du hier?«

Im Gefängnis sind die Nächte unendlich lang. Den Tag verbringst du irgendwie mit dem vorgeschriebenen Programm. Nur die Nächte vergehen nicht. In den ersten Monaten teilte ich mit zwei anderen Frauen die Zelle. Sie waren vor mir hier. Sie haben wochenlang geduldig auf mich geschaut, ohne mir belastende Fragen zu stellen, sie wußten, wie es ihnen selbst ergangen war, als sie sich plötzlich hinter eisernen Ketten und Riegeln und dem schweren Schloß befanden. Sie wußten, daß man einige Zeit braucht, um sich an die Gefängnisordnungen, an die eiserne Gehorsamkeit zu gewöhnen, daß man von neuem lernte zu sprechen, zuzuhören. Man lernte neue, ungewohnte Formen des Verhaltens, der Menschlichkeit, wie die Tobsuchtsanfälle, die Tränen, das Schluchzen, das Angreifen, das sich Wehren und Schützen, man lernte, daß man Tag für Tag eine andere wurde.

Nach einigen Wochen merkte ich, wie ich mich in die Gefängnisordnung und in den Alltag so langsam eingliederte. Ich grüßte morgens, ich sah immer mehr neue Gesichter. Nach einer Weile kannte ich alle Frauen im Gefängnis, ich ging sehr ängstlich aus meiner Haut heraus, ich nahm teil am Gefängnisalltag. Inzwischen hatte ich auch die beiden Türkinnen gesehen. Sie hatten erfahren, daß ich eine Landsmännin von ihnen war und sprachen mich an. Ich sagte nur soviel, daß ich aus

Anatolien komme und zwei Kinder habe. Ich erfuhr von ihnen auch nur soviel, daß eine zu fünfzehn Jahren und die andere zu lebenslänglich verurteilt war. Ich habe bis heute noch nicht erfahren, weswegen sie im Gefängnis saßen. Die beiden sind fast immer zusammen gewesen. Sie flüsterten, lachten, weinten zusammen. Beide hatten hüftlange Haare. Meistens liefen sie mit einem Pyjama oder einer Hose unter dem Kleid herum. Sie schienen wenig Deutsch zu sprechen, obwohl sie schon ziemlich lange hier waren. Bei den Deutschen waren sie offenbar nicht sehr beliebt.

Manchmal schäme ich mich, daß ich eine Türkin bin. Ich möchte nicht ausgelacht werden. Darum schaue ich die deutschen Frauen genau an und lasse mir alles erklären, damit ich auch ja nichts falsch mache. Als ich nach Deutschland kam, brauchte ich mein Verhalten nicht zu ändern. Wir waren ja unter uns, unsere türkischen Bekannten, mein Bruder und die Verwandten. Unter uns waren wir unbeobachtet, keiner lästerte über uns, wir konnten tun und leben wie in unserer Heimat. Draußen auf der Straße sagte uns auch keiner etwas, wenn wir aufgefallen waren. Man merkte, daß man hin und wieder von Deutschen schief angeguckt wurde. Daß wir Türken nicht gerade das beliebteste Volk sind, war uns allen klar. Daß uns ›Kümmeltürken‹ oder ›Scheiß-Ausländer‹ nachgerufen wurde, hat uns nicht sehr berührt, wir waren unter uns, und unter uns waren wir stark. Hier ist das nicht so, auch hier gibt es alle möglichen Ausländer. Aber die beiden Türkinnen fallen wirklich auf. Eine deutsche Frau sagte, sie würde stinken, sie würden sich nicht so waschen, wie es üblich ist. Eine von den Türkinnen bekam ab und zu Besuch. Es war ihr Mann, der sie besuchen kam. Etwas Obst und Süßigkeiten, manchmal sogar gebackenen Blätterteig brachte er dann mit. Sie schmuggelte es heimlich herein und gab uns allen jedesmal davon ab. Manche deutschen Frauen aßen es mit Begeisterung, andere mochten es nicht mal anfassen. Eine dicke Blonde zog Grimassen, wenn sie die beiden Frauen schon sah, ich vermute, es muß zwischen ihr und den beiden vor meiner Ankunft irgendeine Auseinandersetzung gegeben haben. Die Besuche für diese Frau wurden seltener. Früher kamen auch die Kinder zu Besuch, erst blieben die Kinder weg, später der Mann. Bei seinem letzten Besuch hatte ihr Mann ihr zu verstehen gegeben, daß er sich scheiden lassen wolle. Sie solle ihn verstehen, vier Kinder zu versorgen, fiele ihm immer schwerer. Die Kinder bräuchten eine Frau daheim, die für sie wäscht und kocht. Sie solle doch gleich ihr Einverständnis schriftlich geben, er würde die Scheidung jetzt im Urlaub einem Anwalt in der Türkei übergeben. Nach der Ernte könnten sie, wenn alles gut ginge, geschieden werden, so daß er vielleicht schon in diesem Sommer für die Kinder eine Frau aus der Heimat holen könne. Er hatte sie sehr vorsichtig, eigentlich zu liebevoll um ihr Einverständnis gebeten. Er wollte also heiraten, vielleicht ein junges Mädchen aus dem Dorf holen, vielleicht die Fadime, die Tochter des Mustafa Hoca. Ja, sie sind ja arm; alle Mädchen im Dorf sind darauf aus, einen Mann in Deutschland zu heiraten. Die Väter bekommen einen Brautpreis für ihre Töchter so hoch wie ihr eigenes Gewicht. Solch eine Partie würde jede aus dem Dorf mit Handkuß nehmen. Vier Kinder, naja, was ist das schon gegen das Elend im Dorf. Alle Männer und Frauen sind verrückt nach Deutschland, sie sind neidisch auf uns, weil wir auf einen grünen Zweig gekommen sind, und sie nicht. Von wegen grüner Zweig, sie sollen kommen. »Laßt sie ruhig kommen und die Scheiße mit ihren eigenen Händen anpacken, laßt sie nur kommen. Sie sollen uns hier mit eigenen Augen sehen.« Sie fluchte: »Sie sollen es selbst erleben, was wir hier geben müssen, um die so beliebten Samtstoffe, Kofferradios, goldenen Armreife zu kaufen, um im Auto sitzend in die Heimat zu fahren, dort anzugeben, als wäre es so leicht, in Deutschland Geld zu verdienen, wie das Pflücken des Obstes. Laßt sie kommen und sehen, wie unsere Männer um Jahrzehnte älter werden in den Kohlenzechen, daß unsere Frauen nichts als Maschinen und Akkordbänder geworden sind, laßt sie kommen und uns sehen. Ja, uns und die Gefängnisse.« Nein, das wünsche sie keinem, das alles hätte sie ertragen, aber das Gefängnis ... Sie begann, laut zu weinen. Sie hockte sich vor die Mauern im Hof, schrie Sätze laut heraus und schlug mit ihren Händen rhythmisch auf die Knie. Keiner von uns wagte, sie zu trösten. Die Deutschen verstanden das alles nicht. Ich versuchte, es ihnen zu erklären, soweit ich konnte. Eine der Aufseherinnen holte sie herein. Zuerst weigerte sie sich, ließ sich aber dann in ihre Zelle schleppen. Dort schrie sie, weinte über ihr Schicksal, sprach über ihr Dorf und die Menschen, die Felder, die Erntezeit, ihre Hochzeit, wie sie ihre Kinder zur Welt brachte. Da hatten die Dorffrauen sie wochenlang nach der Geburt ihres ersten Kindes gepflegt, sie hatten ihr Essen gebracht, ihre Wäsche gewaschen, ihr Vieh versorgt. Damals war ihr Mann in Deutschland, sie hatte ihr Dorf und die Menschen dort nicht verlassen wollen. Ihr Mann bestand darauf, daß sie mit ihren Kindern nach Deutschland kommt, weil die deutsche Regierung sogar Geld für Kinder zahlen würde. Sie kam mit ihren zwei Ältesten, die anderen beiden wurden hier geboren. Sie lebten vom Kindergeld, den größten Teil vom Gehalt ihres Mannes konnten sie sparen. Die Jahre vergingen in einem Übergangszustand. Sie sagte: »Wir wollten ja nur noch die Schulden zurückzahlen, das Land ist abbezahlt. Wenn das Haus fertig ist und wenn wir Geld für die Möbel und ein neues Auto gespart haben, dann gehen wir aber wirklich zurück.

Die Kinder fühlten sich hier wohler. Im Dorf hielten sie die vier Wochen Urlaub mit Ach und

Krach aus. Sie sagten immer wieder, was wissen wir von deinem Dorf? Was haben wir dort? Keine Schule und kein Fernsehen, keine Geschäfte mit Spielsachen. Mutter, laß uns hierbleiben. Nein, wenn die Zeit gekommen wäre, hätten wir die Kinder gepackt und wären alle zurückgegangen. Wir sagten, nur noch etwas Geduld, noch ein bißchen die Zähne zusammenbeißen. Noch drei, vielleicht zwei Jahre. Dann, dann passierte es ...« Wie gesagt, keine von uns hatte erfahren, was wirklich geschah.

Wochenlang lief sie herum, ohne ein Wort zu sagen. Sie hatte ihre Einwilligung zur Scheidung gegeben. Niemand besuchte sie mehr. Sie hatte sich damit abgefunden. Danach hat sie nie wieder von sich gesprochen. Sie hatte nach diesem Ereignis scheinbar ihr inneres Leben verloren. Ihre Augen blickten immer hoffnungsloser, immer schweigsamer. Nun hatte sie niemanden mehr, außer denen, die ihr Schicksal mit ihr hinter der Mauer teilten, ohne sie in ihrer Sprache trösten zu können. Durch dieses Ereignis ist sie mir sehr viel näher gekommen, während ich zu der anderen Türkin einfach keinen inneren Draht hatte. Auch sie bekam keinen Besuch. Ich wußte nur, daß sie mit ihrem Mann gemeinsam etwas gemacht hatte, weswegen sie beide im Gefängnis saßen. Sie meinte, ihr Mann habe sie unter Druck gesetzt mitzumachen. Sie sei auch schwer von ihm mißhandelt worden, sie habe keine Wahl gehabt, schließlich wäre sie auch hier gelandet. Sie wäre ja eine Frau und dazu Ausländerin, sie habe ihre Unschuld den Richtern nie glaubhaft machen können. Oder ob der Dolmetscher falsch übersetzt hatte? Vielleicht hatte man ihn auch bestochen, damit er falsch übersetzt. Auf uns wirkten ihre Geschichte wie auch ihr Gesichtsausdruck glaubwürdig. Nun sitzt ihr Mann da drüben im Männergefängnis. Wenn sie wollte, konnten sie sich während der Besuchszeit sehen. Aber soviel ich weiß, hat sie ihn nie besucht, er sie auch nicht.

Einige Wochen vor meiner Ankunft hier war eine junge Türkin entlassen worden. Sie hatte wegen Kindesmißhandlung gesessen, und in ihrer Haftzeit hatte ihr Mann sich scheiden lassen. Er hatte die Kinder bekommen und wieder geheiratet. Als sie durch ihren Anwalt erfuhr, daß sie nach ihrer Entlassung in die Türkei abgeschoben werden würde, hatte sie sich hier mit einem deutschen Häftling geeinigt, so daß die beiden im Gefängnis standesamtlich getraut wurden. Danach wurde die Abschiebung aufgehoben. Sie konnte in Deutschland bleiben. Ihr Mann hat noch einige Jahre zu sitzen. Sie hat sich hier in der Nähe eine Wohnung gemietet; sie bekam auch Arbeit. Sie besucht und versorgt den Mann. Er hat ihr ja im Grunde das Leben gerettet. So ist es in der Tat. Was hätte sie in der Türkei machen können? Ohne Mann und Kinder, ohne Geld und Ehre?

Die Männerabteilung liegt uns gegenüber. Abends sitzen wir an den Fenstern, hinter den Eisengittern, lassen unsere Beine aus den Fenstern hängen, schauen in den Hof und in den Himmel, bis es dunkel wird. Manchmal sitzen ein paar Männer drüben hinter ihren Gittern. Wir sehen uns von weitem. Innerhalb des Fensterrahmens malen wir Buchstaben in die Luft mit unseren Händen oder mit einem zusammengeknoteten weißen Tuch und bei Dunkelheit sogar mit einer brennenden Kerze. So geben wir Signale von uns und schreiben uns mit denen im Männergefängnis auf diese Weise ganze Briefe oder machen Verabredungen für den nächsten Tag um eine bestimmte Uhrzeit. Manche Frauen und Männer verständigen sich durch Zeichensprache. Es ist unglaublich, aber es gibt sogar Liebschaften zwischen den Häftlingen. Es werden Zeitungen, Zeitschriften und Bücher ausgetauscht. Unter den Büchern waren sogar einige in türkischer Sprache. Ich habe einige Romane gelesen. Eines war ein Liebesroman. Ich habe stellenweise sehr geweint, als ich ihn las. Dann habe ich lange Zeit ein Gedichtbuch in der Hand gehabt. Darin fand ich die schönsten Gedichte meines Lebens, eines davon hat mir besonders gefallen. Ich habe es auswendig gelernt.

»Wir kommen weit her,
    sehr weit her ...
Wir haben noch immer
    das Schwirren der Steinschleudern im Ohr.

Die Grenzen der Bergeinöden und Wälder,
gesäumt mit blutigen Tiergerippen,
vom Wiehern wilder Hengste erfüllt,
        sind das Ende des Wegs, den wir kamen.
Doch fruchtbar,
wie der schwere schwangere Leib
einer breithüftigen jungen Mutter
ist das in unseren Trinkkübeln schaukelnde Wasser.

Wir kommen weit her.
        Das Leder unserer Stiefel
            riecht nach verbranntem Fleisch.
Aufgeschreckt
        vom Hall unserer Schritte,
            erheben die blutigen, dunklen Jahre sich
                wie geflügelte Urtiere
                    in die Luft.
Und in der Finsternis flammt
        der gespannte Arm unseres Anführers
            wie ein feuriger Pfeil ...

Wir kommen weit her,
        sehr weit her ...
Die Bindung zur fernen Vergangenheit
        verloren wir nicht ...
            ... Wir kommen weit her,
                sehr weit ...
Und es kommt die Zeit,
da stecken wir unser Haar in Brand
und legen der Finsternis Feuer ins Haus.

Mit den Köpfen der Kinder zerschlagen wir
der Dunkelheit Wand ...
Und die nach uns kommen, sollen nie mehr
durch Eisengitter, sondern aus hängenden Gärten
sehen
die Frühlingsfrühen, die Sommernächte im Land.

Ein anderes Gedicht, welches mir auch sehr gefiel, habe ich auf ein Blatt geschrieben und an die Wand über meinem Bett gehängt. Ich habe noch mehr Gedichte aus diesem Buch auswendig gelernt. Gedichte berühren mich am meisten. In ihnen braucht nichts Außergewöhnliches zu passieren, um mich zum Weinen zu bringen. Man glaubt mit der Zeit abzustumpfen, doch erleben wir immer wieder, wie sanft unsere Seelen sind. Ich weine eigentlich immer noch oft, kann die Tränen nicht zurückhalten. Selbst die Zeilen, die die türkischen Männer in die Bücher schreiben, berühren mich. Sie schreiben manchmal so schamlos, dreckige Sachen, Kommentare, Schimpfwörter, in der Annahme, daß wir sie erwidern, auch Liebeserklärungen. Trotzdem verurteile ich die Männer drüben nicht. Ich habe mir keine Gedanken gemacht über sie. Warum sie hier sitzen, was sie für Menschen sind. Es ist bei vielen leicht anzunehmen, daß sie wegen Prügeleien, Messerstechereien oder vielleicht Drogenhandel sitzen. Wer weiß, weswegen, aber die deutschen Männer beschäftigen mich mehr. Was sie verbrochen haben, würde ich gerne wissen, denn die deutschen Männer prügeln sich nicht so leicht. Ich nehme es zumindest an.

Für die kurze Schulzeit, die ich hatte, kann ich ziemlich gut lesen und schreiben. Ich erinnere mich auch sehr gerne an meine Schulzeit. Überhaupt an meine Kindheit und an die Erlebnisse, als ich noch ein junges Mädchen war, an die Hochzeitsnacht, an die Trennung von meinem Mann, die Geburt meiner Kinder, die erste Zeit in Deutschland. Es sind angenehme Erinnerungen.

Ich besitze hier eigentlich alles, was man braucht: Radio, Kassettenrekorder, Schreibutensilien, Kleidung, Schminksachen. Abends höre ich die türkischen Sendungen von Radio Köln. Manchmal, wenn sie traurige Heimatlieder bringen, denke ich sehr intensiv an unser Dorf, an meine Mutter. Ich war wie ein junges, freches Fohlen, das unentwegt zwischen Feldern und Hügeln umhersprang. Einmal in der Woche gingen wir – alle Dorfmädchen – an den Bach, der auf der anderen Seite des Dorfes floß, wir waren glücklich. Nachdem wir die Wäsche gewaschen und auf die Sträucher zum Trocknen gelegt hatten, gingen wir selbst in den Bach, wuschen unsere Haare, unseren Körper, planschten im Wasser. Wer zuerst mit dem Baden fertig war, wurde zurück ins Wasser geworfen. Unsere nassen Kleider klebten uns am Körper. Gegen Sonnenuntergang machten wir uns auf den Weg nach Hause, wir fühlten uns leicht wie Federn, frei von jedem Kummer; wir wußten nicht, was sich in der Welt ereignete, wollten es auch nicht wissen. Unsere kleine Welt reichte aus. Manchmal frage ich mich, ob die Zeit wirklich schön war oder ob sie mir im Nachhinein als schöne Erinnerung lieb geworden ist, weil ich hier eine schwere Zeit durchmache. Vielleicht male ich mir die Vergangenheit selbst so bunt aus. Ich kann mich an meine Kindheit erinnern – sie war von vielen Kinderkrankheiten geprägt. Arzt, Krankenschwester, Krankenhaus oder Medizin kannten wir nicht. So etwas gibt es in unseren Dörfern nicht. Wenn es hochkommt, gibt es eine Hebamme, aber meistens kommen die Frauen alleine zurecht. Wenn es eine normale Schwangerschaft ist, gebären die Frauen ihre Kinder allein, die Nachbarinnen helfen immer. Ohne die Hilfe anderer kann man in unserem Dorf nicht überleben. Wir alle sind aufeinander angewiesen, sowohl auf den Feldern als auch zuhause. Meine Mutter brachte mich auf dem Feld zur Welt und arbeitete weiter. Feldarbeit ist eine Knochenarbeit. Sie brachte mich abends in der Satteltasche auf einem Esel heim. Dann ging sie zum Brunnen, Wasser zu holen, und klappte dort zusammen. Die Nachbarsfrauen eilten schnell zu Hilfe. Als sie merkten, daß sie Blut verlor, holten sie die Hebamme aus dem Nachbardorf. Sie pflegten meine Mutter einige Zeit mit Hausmitteln, bis sie wieder bei Kräften war. Auf dem Lande stellen die alten Frauen und Männer die Heilmittel selbst her. Auf den Feldern und in den Bergen findet man tausenderlei Kräuter, die paradiesisch duften. Sie kochen sie oder essen sie frisch. Alte Leute wissen genau, welche Kräuter für welche Krankheiten gut sind. Man kann aber auch aus anderen Dingen Heilmittel machen. Als meine Schwester Keuchhusten hatte und wir nicht wußten, wie wir sie retten konnten, hatten wir die alte witzige Tante İerife. Sie selbst litt seit Jahren unter Magenschmerzen. Seit ich sie kenne, läuft sie immer mit der Hand auf dem Magen herum. Sie klagt ständig über Magenschmerzen, seitdem sie ihren Mann verlor. Ihr eigenes Kind starb ihr durch irgendeine Krankheit weg. Sie wanderte in die Berge, arbeitete nicht mehr auf den Feldern. Mit ihren Phantasien und Dichtungen unterhielt sie die Gäste, die ins Dorf kamen. Wir alle kannten ihre Lebensgeschichte. Manchmal saß sie im Dorfkaffeehaus mit den Männern zusammen. Alle hatten großen Respekt vor ihr. Wenn ihre Schmerzen größer wurden, zog sie sich einige Tage in ihr Haus zurück. Ihr einziges Heilmittel war die getrocknete Milch von Mohnblüten. Sie pflanzte den Mohn selbst in ihrem Garten an. Wenn die Mohnblüten grüne reife Köpfe bildeten, schnitt sie in der Morgenfrische mit einem feinen Messer um die Mohnköpfe herum runde Kreise. Sie ließ die Milch trocknen, die herausspritzte. Die trockenen Stücke hob sie für den Winter auf. Nur wenn sie Magenschmerzen hatte, nahm sie ein winziges Stück und kaute es. Sie meinte, die Schmerzen würden dadurch weggehen. Sie war witzig, sie war alt, konnte auf dem Feld nicht mehr arbeiten. Sie war ständig bei irgendeinem im Dorf zu Besuch, und wir alle hatten sie gern. Sie erzählte immer Geschichten, sie sprach wie ein Dichter, was uns immer vergnügte. Wenn Kranke im Dorf waren, wurde sie geholt. Sie ging überall ein und aus, war immer willkommen. Als meine Schwester Keuchhusten hatte, bereitete sie ein Heilmittel aus Kamelkot; sie trocknete ihn in walnußgroße Kugeln, zerdrückte ihn mit heißem Wasser in einem unverzinkten Kupfergefäß und siebte die Menge durch ein grobgewebtes Tuch. Die gesiebte halbflüssige Masse gab sie meiner Schwester zu trinken. Ich weiß nicht, ob es wirklich die Krankheit heilte. Einmal hatte unser Lehrer starke Schmerzen; es war mitten im Unterricht, als wir es merkten. Er konnte sich nicht setzen. Er wurde blaß, sagte uns aber nicht, was er hatte. Wir wollten ihm helfen und beschlossen, zur witzigen İerife zu gehen und es ihr zu erzählen. Sie hörte sich alles an und ging dann zum Lehrer. Am nächsten Tag hatten wir schulfrei, weil der Lehrer erkrankt war. Meine Mutter und sie unterhielten sich darüber, und ich lauschte an der Tür. Sie hatte aus Holzasche und heißem Wasser einen Teig geknetet. Die Masse hatte sie in ein feines Tuch gewickelt, und der Lehrer mußte sie kochendheiß auf sein Gesäß legen. Diesen Vorgang wiederholte sie mehrmals. Der Lehrer wurde gesund.

Außer mir erfuhr keines der Kinder, was der Lehrer gehabt hatte. Auch ich konnte mir nicht so richtig vorstellen, was Hämorrhoiden waren.

Meine Schulzeit, so kurz sie auch war, war eigentlich die schönste Zeit. Vor mir gingen die Kinder im Nachbardorf zur Schule, und in der Zeit davor kam der Lehrer zweimal in der Woche in unser Dorf. Er sammelte alle Kinder in den Schuppen von Mestan Ağa und übte lesen und schreiben mit ihnen. Es waren auch Erwachsene unter den Schülern. Das war keine richtige Schule. Ich gehöre zu der ersten Schülergeneration in unserer Dorfschule. Die Schule bauten die Dorfbewohner selber. Viele Jungen und auch Mädchen halfen beim Bau. Wir alle haben uns sehr gefreut, daß nun auch wir eine Schule und einen Lehrer haben würden. Dann kam der Lehrer. Er rief unsere Eltern zu sich und redete ihnen zu, wie wichtig der Schulbesuch für die Kinder sei. Meine Eltern waren sowieso dafür, daß ich mit meinen Brüdern zur Schule gehe. Manche Eltern waren anfangs dagegen, ihre Töchter zur Schule zu schicken; aber auch sie waren später einverstanden. Nur wir Mädchen mußten häufiger zuhause bleiben, um im Haushalt zu helfen. Ich weiß noch, wie ich bei der Versetzung in die zweite Klasse von meinem Vater ein Paar Gummischuhe geschenkt bekam. Zum ersten Mal in meinem Leben trug ich ein Paar ganz neue Schuhe. Sie waren aus grünem Plastik, hatten zwei goldene, glänzende Schnallen.

Ich liebte sie sehr; ich putzte sie und bewahrte sie unter meinem Kopfkissen auf. Ich war untröstlich, als eines Tages Sultan, meine kleine Ziege, meine Schuhe angeknabbert hatte. Als ich in der dritten Klasse war, hatten wir einen harten Winter hinter uns. Mutter war, wer weiß zum wievielten Male, wieder schwanger; es fiel ihr immer schwerer auf dem Feld zu arbeiten, dazu noch als Taglöhnerin. Deswegen wurde ich immer stärker im Haushalt eingespannt, bis meine jüngere Schwester heranwuchs. So nahm sie mir einiges an Last und Arbeit ab. Ich hatte die Schule schon lange abgebrochen und war inzwischen auffallend gewachsen. Dann waren meine Brüder nacheinander beim Militär. Sie kamen vom Militär zurück. Der erste heiratete, bald danach gingen sie in die Stadt arbeiten. Mein ältester Bruder war einer der ersten in unserem Dorf, der nach Deutschland auswanderte. Ihm folgten viele Menschen aus unserem Dorf. Einige Familien hatten schon, bevor die ›Deutschlandwelle‹ anbrach, ihre Felder und Häuser verkauft und waren in die Stadt umgesiedelt. Man hörte aus Erzählungen von denen, die in die Städte abgewandert waren, wo sie ihre Gecekondus bauten, daß Frauen in der Stadt bei reichen Leuten putzen gingen, daß sogar manche Familien bei den Hochhäusern als Pförtner und Hausdiener arbeiteten und auch in diesen Hochhäusern wohnten, daß sie dort viel Geld verdienten. Man erzählte auch schlechte Sachen über die ehemaligen Dorfleute. So zum Beispiel über die Tochter des buckeligen Süluman, die plötzlich verschwunden war. Die Eltern kamen auch einmal ins Dorf, um sie zu suchen. Sie kam in die Zeitung, weil sie vermißt wurde. Einige Monate später wurde sie in einem Bordell wiedergefunden, da wollten die Eltern sie nicht mehr haben.

Trotz allem wußte man zu wenig über die Weggezogenen, über ihre Schicksale, noch weniger aber über die, die ins Ausland gegangen waren. Aus den Briefen konnte man sich keine richtigen Vorstellungen machen.

Wir alle waren neugierig, wir wollten zu gerne mehr über Deutschland wissen. Wir fragten uns: Wo liegt dieses Land, das unsere Männer und Frauen in sich hineinsaugt? Wieviele Tage braucht man, um dort hinzukommen? Wie sieht es dort aus, die Menschen, die Straßen, ob die wohl auch Gecekondus haben, ob es dort auch Dörfer gibt ohne Wasser, ohne Licht, ohne Straßen, ob dort auch viele Kinder sterben? Was für Arbeit wohl unsere Männer verrichten, was die Deutschen für eine Sprache sprechen, wie die Deutschen aussehen? Ich glaube, zu der Zeit stellten sich Millionen Türken diese Frage. Auch ich!

Inzwischen sind Jahre vergangen, ich habe es erfahren bis zum bitteren Ende. Nun weiß ich, wo Deutschland liegt und wie es in Deutschland aussieht.

Manche Nächte liege ich wach im Bett. Meine Gedanken ziehen mich in jenes anatolische Dorf;

ich suche einen Grund für mein Schicksal und suche ihn in der Vergangenheit. Ich denke an jedes einzelne Ereignis, ich suche etwas wie eine Antwort für meine Gegenwart. Nein, ich will niemanden beschuldigen. Nur meine ich manchmal, es hätte alles anders laufen können, wenn, wenn ... Ich weiß nicht, was aus mir geworden wäre, wenn ich auf einem anderen Fleck der Erde geboren wäre, eine andere Sprache gesprochen hätte, jedenfalls ein anderer Mensch gewesen wäre. Es ist sonderbar, daß ich niemals andere für mein Schicksal verantwortlich gemacht habe, aber es ist doch etwas, was nicht hätte sein brauchen. Wir waren tapfer, arm, aber nicht unzufrieden. Unsere Eltern waren gläubig. Wir verbrachten unser Leben in einer wundervollen Ruhe, bis mein Bruder in die Fremde ging. Wir alle waren nicht begeistert von der Idee, am wenigsten seine Frau und unsere Mutter. Warum sind so viele Männer nach und nach aus unseren Dörfern nach Deutschland gegangen, als wäre der Krieg ausgebrochen? In unseren Dörfern blieben in den Jahren nur noch alte Männer, Frauen und Kinder zurück. Die Dörfer verloren ihren Geist, ihr Leben. Alle Arbeiten mußten von den Frauen erledigt werden. Fast jedes zweite Haus war von diesem Schicksal betroffen. Im Sommer füllte sich dann das Dorf wieder mit Autos in bunten Farben. Kinder und Frauen fragten die Ankömmlinge? »Wann kommt mein Vater?«, »Wann hat Ahmet Urlaub?«

Die Frauen, deren Männer schon gekommen waren, liefen gleich am nächsten Tag in bunten Kleidern stolz und angeberisch zum Dorfbrunnen. Die Kinder bastelten nun nicht mehr Autos aus Melonenschalen, sie hatten sie durch elektrisches Spielzeug ersetzt. Dann die Kofferradios, die Fernseher, Uhren, Berge von Stoffen und Kleidern, sogar maschinengeknüpfte Teppiche, dabei war unser Dorf seit Jahrhunderten für seine Teppiche bekannt. Die Welt hatte sich so rasch verändert, wir alle waren so gierig geworden, die ›Deutschlandwelle‹ hatte ein neues Leben und neue Lebensgewohnheiten ins Dorf gebracht. Die Zurückgebliebenen waren noch gieriger als die, die abwanderten; ich war zu jung, um auf all diese Fragen eine Antwort zu finden. Das Dorf hatte fruchtbaren Boden, fast jede Familie hatte ein Stück Land für sich. Natürlich war Feldarbeit schwer, natürlich hatten wir keinen Strom und die Straßen des Dorfes waren schlecht. Dadurch war die Verbindung in die Stadt selten möglich. Wir hatten eine Schule, sogar eine Hebamme. Obwohl viele von uns damals nie in der Stadt gewesen waren, war die Neugier auf unsere eigenen Städte längst nicht so groß wie die Neugier auf Deutschland. Alle Familien im Dorf wurden in jenem Sommer so reichlich beschenkt, daß wir den nächsten Sommer kaum abwarten konnten. Auch die jungen Mädchen wandelten sich plötzlich. In ihren Köpfen lebte der einzige Wunsch, einen Deutschland-Türken zu heiraten. Die Männer im Dorf waren nicht mehr gut genug; alle Nachrichten, die wir durch Erzählungen, durch Briefe über Deutschland bekamen, waren umwerfend, unvorstellbar begeisternd. Trotzdem reichten meine Vorstellungen nicht aus, um Vergleiche zu ziehen. Ich dachte, in so einem reichen Land müßten die Menschen statt aus Kupfertellern aus goldenen oder silbernen essen, statt Baumwolle Seide tragen und und ...

Ich war trotz der überwältigenden Erzählungen über dieses Traum- oder Paradiesland nicht begeisterungsfähig. Mein Bruder brachte jedes Jahr schöne Sachen, Stoffe, Spitzen für meine Aussteuer. Das reichte mir. Ich liebte unser Dorf, unsere Felder, ich liebte die Vögel, die Natur, unser Lehmhaus, unsere Lämmer, Kälber und Küken. Es gab mir Leben, sie in jedem Frühling in meinen Händen zur Welt kommen und wachsen zu sehen. Abends, wenn wir alle von den Feldern nach Hause kamen, machten wir Feuer, setzten das Essen auf. Wenn wir uns zum Essen versammelten, blieb uns der Bissen in der Kehle stecken, unser Bruder fehlte uns. Mein Bruder war verheiratet und hatte zwei Kinder, die er im Dorf ließ. Meine Schwägerin war nur einige Jahre älter als ich. Mein Bruder und sie hatten gegen den Willen ihrer Eltern geheiratet. Später, als die Eltern einverstanden waren, mußte mein Bruder an die Eltern meiner Schwägerin einen sehr hohen Brautpreis bezahlen. Er selbst arbeitete noch am Schwarzen Meer in Kohlenzechen, verdiente wenig. Um den Brautpreis zu zahlen, mußte ein größerer Teil unserer Felder verkauft werden. Er versprach dem Vater, sie zurückzukaufen, sobald er wieder Geld hatte. Unsere Felder waren unsere einzige Unterhaltsquelle. Meinem Vater fiel es sehr schwer, sich von dem geerbten Gut zu trennen. Einige Jahre später ging mein Bruder nach Deutschland, und wir hörten lange Zeit nichts von ihm. Er hatte Frau und Kinder nicht mitgenommen. Er wollte sich erst eingewöhnen, Geld sparen, und dann wollte er seine Familie nach Deutschland holen. Es vergingen einige Jahre bis er sie endlich mitnahm. Während er in Deutschland arbeitete, blieb seine Frau mit den Kindern im Dorf. Die beiden Kinder wuchsen heran, meine Schwägerin arbeitete auf ihrem eigenen Feld, führte den Haushalt. Sie war jung und allein. Wie verwitwet. Den Kontakt zwischen ihr und der Familie hat sie nie wieder herstellen können. Ihre Familie hatte sie zwar nicht ganz ausgestoßen, aber sehr glücklich waren sie auch nicht. Sie ließen sie in unserem Dorf weiter wohnen, während andere Frauen, deren Männer in Deutschland arbeiten, entweder bei ihren eigenen Familien oder bei den Schwiegereltern leben. Meine Eltern fühlten sich zu ihr nie hingezogen. Vielleicht deswegen, weil sie sie nicht selbst ausgesucht hatten. Während der ganzen Jahre in denen mein Bruder in Deutschland war, wohnte ich deswegen mit meiner Schwägerin zusammen. Ab und zu ließ ich mich bei meinen

Eltern sehen, fragte sie, ob ich etwas für sie tun könne. Nur in der Erntezeit half ich Vater. Er arbeitete als Tagelöhner, ertrug die Arbeit immer weniger, war alt und krank. So vergingen einige Jahre, bis mein Bruder meine Schwägerin und seine Kinder holte. Ich ging zu meinen Eltern zurück. Nachdem meine Schwägerin und vor allem die Kinder weg waren, wurde es für uns noch trüber. Die Wochen und Monate vergingen mit sehnsüchtigem Warten auf den Sommer, ja, auf den Sommer. Mutter und Vater waren alt geworden, sie hielten die Sehnsucht nicht mehr aus. Wenn die Urlaubswochen zu Ende gingen, fielen Trauerwolken auf das Volk. Die Trennung war schwer, besonders bei den Alten. Jedes Jahr ließen die Männer schwangere Frauen zurück, alte kranke Eltern, Kinder ... Wer Augen hatte, hätte sehen müssen, daß der Unglücksteufel uns in seinem Griff hatte, uns alle! Wir waren dem Deutschlandtraum ausgeliefert.

Ein Jahr später traf es mich wie der Blitz. Mein Bruder hatte mich seinem Freund versprochen.

An einem glühendheißen Augustabend kamen sie. Mein Bruder, meine Schwägerin, die Kinder. Sie brachten einen Gast, der später mein Mann wurde.

Es ging alles blitzartig. Bis zur Hochzeitsnacht hatten wir kaum ein Wort miteinander gesprochen. Ich hatte keine Zeit, keinen Mut und keine Gelegenheit, überhaupt irgendeine Frage zu stellen. Hätte ich es doch getan oder mich dagegen gewehrt! Wußte ich, was mit mir geschehen würde? Es war für meine Eltern nicht einmal notwendig, über diesen fremden Mann einige ganz oberflächliche Angaben zu erhalten: seinen Namen, sein Alter und daß er aus einem der fernliegenden Dörfer der Kreisstadt stammte. Daß er in Deutschland arbeitete, sagte uns alles, es war genug, um ihm das ›Ja-Wort‹ zu geben. Das Unverständlichste von allem war, daß ich diesen Mann auf Anhieb gerne hatte. Ich, ich wollte ihn heiraten.

Selbst er hatte sich nicht auf so eine rasche Entscheidung eingestellt. Er wohnte in Deutschland in einem Ausländerwohnheim. Ich mußte vorerst bei seiner Familie leben, bis er mich holte. Er verlängerte seinen Urlaub mit einem ärztlichen Attest, für die Hochzeit hätte es keinen zusätzlichen Urlaub gegeben. »Die Deutschen«, so hatte mein Mann erzählt, »würden z.B. heute heiraten und morgen wieder auf der Arbeit sein.« »Die Deutschen«, sagte er, »sind fleißig und gewissenhaft.« Einige Tage nach der Hochzeit ging er fort. Ich blieb an der Haustür, wir hatten uns in der Nacht schon verabschiedet, es gehörte sich nicht, daß junge Eheleute sich vor anderen Leuten liebevoll verabschiedeten. Wir haben uns nicht einmal umarmt. Es gehörte sich auch nicht, hinter ihm herzuweinen. Wir gossen einen Eimer Wasser hinter ihm aus, damit seine Reise glatt gehen und er vor allen bösen Dingen geschützt sein würde. Ich war scheu und unsicher in der fremden, neuen Familie.

Ich folgte ihren Anweisungen, half im Haushalt, sie verschonten mich von der Feldarbeit. Ich war ganz verwandelt. Was war mit mir in der kurzen Zeit geschehen, was war eigentlich los? Mein Mann versprach, bald zu schreiben. Sein erster Brief ließ auf sich warten, jedenfalls kamen mir die sechs Wochen wie eine Ewigkeit vor, aber er kam. Er war an die Eltern gerichtet, ich wurde nur mit einem Satz erwähnt. Es war mehr eine Anfrage darüber, ob ich mich in seiner Familie eingelebt habe. Dann schrieb er, daß er nach der Arbeit die Zeit mit seinen Freunden im Wohnheim verbringe. Sie kochten, sie spielten zusammen Saz und sangen Lieder aus der Heimat. Er erkundigte sich nach der ›Gelin‹, der Kuh, die schwanger war, als er hier war. Inzwischen war ein Kalb geboren. Als mein Schwiegervater den Brief vor versammelter Familie laut vorlas, dachte ich, ich wäre mit ›Gelin‹ gemeint und errötete unendlich, schämte mich. Ich vergaß, daß mein Mann mich nie offen in seinen Briefen anreden würde. Dann schrieb er über seine Sehnsucht nach der Heimat. Während der Schwiegervater über den geschäftlichen Teil, den er mit seinem Sohn allein erledigte, berichtete, war ich in Gedanken versunken ... »Aber wenn er in seiner Trauer sich in der Fremde was antut, was mach' ich dann? Wie gern wäre ich jetzt bei ihm. Er schreibt, daß es dort sehr kalt ist. Er schreibt, wir sollten ihm bunte Socken stricken, Pullover und Jacken, ein Leibchen für ihn weben. Wie gern würde ich ihn wärmen, er würde müde sein, womöglich hatte er den ganzen Tag nichts Warmes in den Magen bekommen, und womöglich ...«

So dachte ich Tag und Nacht an ihn. Mein einziger Wunsch war, möglichst schnell bei ihm zu sein.

In der Hochzeitsnacht hatte er versprochen, mich sehr bald zu holen, sobald er eine Wohnung gefunden habe. Er sagte, ich würde jeden Tag meinen Bruder sehen können; wir würden Kinder haben, ich würde nicht allein sein, keine Angst, keine Sehnsucht, keine Einsamkeit ...

Es ist nun stockdunkel in meiner Zelle. Es ist jeden Abend dasselbe. Ich habe seitdem ich hier bin die Angewohnheit, bei Licht zu schlafen. Ich sitze, bis es draußen völlig dunkel wird, am Fenster. Wenn ich die Bäume und die Dächer nicht mehr klar erkennen kann, krieche ich ins Bett. Dann beginnen die schwersten Stunden des Tages, die Verzweiflung, die innere Unruhe, das Grübeln, die Tränen. Das Fenster lasse ich auch im Winter offen, damit ich wenigstens etwas Luft bekomme. Die Zelle ist klein und feucht, außerdem rauche ich sehr stark. Im Gefängnis ist in allen Räumen ein eigenartiger Geruch, doch wir haben uns daran gewöhnt. Ich weiß nicht, wo er her kommt. Unsere Gesichter sind blaß, bleich. Selbst die jüngsten von uns haben dicke Augenränder, wir haben alle ähnliche Blicke, wir sind uns noch ähnlicher als die Menschen draußen. Wir werden schnell älter. Für uns alle ist die Zeit im Gefängnis sehr schlimm. Nur die Hoffnung auf bessere Tage, eine intensive Bindung zu den Verwandten draußen, die Ablenkung durch die Arbeit sind dringend nötig, um mit normalen menschlichen Eigenschaften die Zeit durchzustehen. Sonst kapitulieren hier selbst die stärksten Nerven. Ist man sensibel, hat man seine menschlichen und persönlichen Beziehungen verloren, dazu weit weg von der Heimat, dann ist es aus mit einem. Wir sind sehr schnell reizbar. Auf die harmlosesten Dinge reagiert man hier gleich mit Geschrei, hysterisch. Ohne irgendeinen Anlaß bekommen wir von Zeit zu Zeit alle den Gefängniskoller, besonderes in den Abendstunden und an Feiertagen. Es ist wie verhext. Früher als ich in der Gemeinschaftszelle war, konnte ich in manchen Nächten die Augen nicht schließen. Wir waren mehrere Ausländerinnern und zwei Deutsche in einer Zelle. Erst zogen die beiden deutschen Frauen aus, dann blieben zwei Jugoslawinnen, die sich Tag und Nacht in ihrer Sprache rücksichtslos laut unterhielten. Die eine Italienerin vertrug sich mit allen gut, sie konnte über alles mitreden, im Unterschied zu mir. Ich sprach damals nur gebrochen Deutsch. Dann kam für eine kurze Zeit eine Türkin in die Zelle. Ich hatte sie sehr schnell ins Herz geschlossen. Sie war fein, jung und schön, zu schade für das Elend hinter den Gittern. Schon nach einigen Wochen beschlossen wir, in einer Zweierzelle zusammen zu wohnen. Damals arbeitete ich nicht. So vergingen die Tage mit ihr zusammen. Wir erzählten über uns, über unsere Vergangenheit, wir waren beide noch blutjung. Die kurzen Vergangenheitserzählungen waren irgendwann erschöpft. Es begann eine Krisenphase bei ihr. Ich hatte die Zeit hinter mir, mußte nun die Aufgabe übernehmen, sie zu trösten. Obwohl sie oft Besuch hatte, schluchzte sie in den Nächten unaufhörlich im Bett. Einige Monate später wurde ich in ein anderes Gefängnis geschickt. Zuerst in eine Einzelzelle, dann mit mehreren zusammen. Dort habe ich, da fast alles nur deutsche Frauen waren, nur Deutsch gesprochen. Ich machte Fortschritte. Ich strickte und häkelte für meine Kinder, obwohl ich nicht mehr wußte, wie sie aussahen, wie groß sie geworden waren. Ich hatte sehr lange Zeit die Kinder nicht mehr zu sehen bekommen. Anfangs besuchte mich mein Bruder, er brachte auch meine Kinder mit. In der Zeit in Deutschland war die Beziehung zu meinem Bruder kühler geworden. Als er von der Auseinandersetzungen mit meinem Mann hörte, verteidigte er ihn, immer hatte ich – seiner Meinung nach – Unrecht. Er wollte nichts davon wissen. So hatte er mich auch nach diesem Ereignis schwer verachtet. Jedes Mal bei seinen Besuchen im Gefängnis verkrachten wir uns aufs neue. Inzwischen hatte ich mich mit einem Türken aus dem Männergefängnis befreundet, um neue Hoffnungen zu schöpfen. Neue Hoffnungen, die man braucht, um hier zu überleben. Hier ist das Gefängnis, wer uns verstehen will, muß einmal hier eingesessen haben. Hier sind wir lebendig begraben, ja, unsere Seelen sind regunglos, um nicht zu sagen, wir sind tot. Wenn sich etwas in uns regt, dann ist es gespeicherte Angst, Gift, Haß und Unruhe. Es gibt die Möglichkeit, sich umzubringen, ja, oder verrückt zu werden. Nur erstaunlich ist, daß zwar viele hier ausflippen, aber wenige Selbstmord versuchen. Es hängt natürlich von den Umständen des einzelnen ab, welchen von beiden Wegen sie wählen. Ist man zu lebenslänglich verurteilt, bedeutet es, daß man eigentlich gleich Schluß machen kann. Das ist hier wie ein ungeschriebenes Gesetz.

In drei Wochen ist Weihnachten, dann Neujahr. Letztes Jahr um diese Zeit hatte sich eine der beiden Türkinnen mit einem Kopftuch aufgehängt. Sie war zu lebenslänglich verurteilt gewesen. Die beiden bewohnten zusammen eine Zelle. Sie hatten abgesprochen, daß die andere Türkin ihrer Nachbarin nichts vom Vorhaben ihrer Landsmännin sagen würde. Sie sollte erst am nächsten Morgen melden, was geschehen war. Sie sollte so tun, als hätte sie geschlafen als es passierte. Dabei hat sie zugeschaut, ihr vermutlich sogar geholfen.

Ich habe gestern u. a. auch eine Kerze gekauft, Tabak, Zigarettenpapier, Wolle. Die Einkaufsscheine für diesen Monat sind verbraucht. Ich freue mich auf heute abend. Ich weiß, es geht leichter, mit der Kerze Briefe zu schreiben. Doris hat es mir beigebracht. Bis jetzt habe ich es mit der Hand oder mit Streichhölzern gemacht. Nach dem Feierabend sitzen wir am Fenster und schreiben Briefe. Diese Briefe können nur die Gefangenen entziffern. Es ist unsere Geheimsprache. Ich möchte, daß er mich besucht, das werde ich ihm mitteilen. Manchmal ist es lustig, mit den Männern von Fenster zu Fenster zu flirten. Die Entfernung ist doch so groß, daß man sich schlecht erkennen kann. Von Fenster zu Fenster dauern die Freundschaften manchmal sehr lange, bis man sich kennengelernt hat. Ja, wenn man sich besuchen will, braucht man nur einen Antrag zu stellen. Natürlich weiß die Verwaltung genauestens über solche Kontakte Bescheid. Es ist nichts Schlimmes. Man bekommt einen winzigen Hoffnungsschimmer in diesem elenden Grab. Auf diese Weise hatte ich mich im letzten Sommer in einen Türken verliebt. Wir besuchten uns gegenseitig, schrieben und trafen uns abends am Fenster. Wir hatten uns geeinigt, wenn wir beide frei wären, würden wir für immer zusammen sein. Ich trug sein Bild Tag und Nacht auf meiner Brust. Einmal habe ich meinem Bruder von ihm erzählt, ich habe ihm das Bild gezeigt. Er wurde böse, drohte mir mit dem Tod. Er zerriß das Bild und verbrannte es im Aschenbecher. Ich schrie ihn an, ich sei frei und könne machen, was ich wolle, er solle sich zum Teufel scheren; ich lief in die Freiheit meiner Zelle zurück. Ich war dort wenigstens geschützt, mir konnte nichts mehr passieren. Mein Bruder kam nicht mehr. So sah ich auch meine Kinder lange Zeit nicht mehr, bis zum Mai dieses Jahres. Ich hielt die Sehnsucht nicht mehr aus. Mein Freund war inzwischen entlassen, später stellte sich heraus, daß er verheiratet war, der Schuft!

Mein Bruder schwor auf Rache in seinen Briefen. Aus der Heimat war in der ganzen Zeit ein einziger Brief gekommen. Mutter ließ ihn schreiben, lieb, tröstend. Zum Opferfest wünschte sie mir alles Gute. Sie hatte ein paar Mohnblüten in den Brief gelegt. Ich schrieb ihr sofort zurück und schickte etwas Geld. Seit dem Tode meines Vaters schleppt sie sich nur noch durchs Leben. Sie lebt mit meinem jüngsten Bruder zusammen. Er ist geistesgestört, hat nie geheiratet und ist untauglich für eine vernünftige Arbeit. In meiner Erinnerung ist er ein kräftiger Bursche. Wie es gekommen ist, weiß ich nicht mehr genau. Eines Nachts wollte er unser Lehmhaus in Brand stecken. Seitdem schläft meine Mutter reihum bei den Nachbarn. Ich weiß nicht, was alles passiert ist, seit Jahren habe ich keine richtigen Informationen. Am stärksten vermisse ich meine Kinder. Als ich sie das letzte Mal im Mai beim Ausgang sah, konnte ich nicht fassen, wie sie gewachsen waren.

Damals, als es passierte, lag meine Tochter noch im Kinderwagen, der Junge war drei Jahre alt.

Auf meinen Sonderantrag hin durfte ich meine Kinder bei einer Bekannten einen Nachmittag lang sehen. Dieser Tag und die Tage davor waren aufregend. Ich hatte Tausende von Fragen in meinem Kopf. Ich konnte es kaum erwarten.

Mit einer Aufseherin fuhr ich zu meiner Bekannten, sie hatte die Kinder bei meinem Bruder abgeholt. Sie hatte Kuchen gebacken, Eis besorgt, Spielsachen und Getränke geholt. Das Wiedersehen mit den Kindern war in der ersten Stunde traurig, enttäuschend. Die Aufseherin zog sich ins Nebenzimmer zurück, damit ich mich in Ruhe mit den Kindern unterhalten und mit ihnen spielen konnte. Sie war sehr verständnisvoll. Ich hatte tagelang vor dem Wiedersehen gezittert und hatte gemischte Gefühle, Angst und Freude zugleich. Ich hatte einige Besorgungen gemacht, Puppen, Süßigkeiten, Autos usw. ... Im ersten Moment, als ich sie sah, zitterten meine Knie, mein Herz schlug, ich wußte nicht, wie ich sie anreden sollte. Sie waren so gewachsen und beide sehr hübsch. Beide redeten mich mit ›Tante‹ an; ich war erschüttert. Dann überwand ich mein Entsetzen. Was sollten sie denn sonst sagen? Sicher hatten die Kinder erfahren, was geschehen war. Mein Bruder hatte sicher rücksichtlos den Kindern das Geschehen erzählt. Auch die Kinder waren seltsam. Sie spielten mit den Geschenken und futterten den ganzen Tag Kuchen, Obst und Schokolade. Hin und wieder nahm ich sie in die Arme und drückte sie ganz fest an meine Brust. Ich versteckte meine Tränen. Ich habe nicht gewagt, ihnen zu erzählen, daß ich ihre Mutter bin.

43

Die Stunde der Trennung kam schnell, gegen Nachmittag mußte ich zurück ins Gefängnis. Sie standen an der Tür mit meiner Bekannten, ich drehte mich auf dem Weg zum Auto immer wieder um, sie winkten und sagten wiederholt: »Tschüs Tante!« Erst im Auto brachen meine Tränen aus. Ich versuchte, sie nicht mehr zu verbergen. Ich schluchzte: »Ich bin eure Mutter, ich bin eure Mutter.« Ich hätte zehn Jahre meines Lebens geben können, wenn sie einmal ›Mutter‹ zu mir gesagt hätten. Werde ich es einmal erleben, werden sie mich jemals Mutter rufen?

Die Aufseherin hatte Mitleid, sie ließ mich laut weinen, sie hielt mit einer Hand das Lenkrad, mit der anderen Hand versuchte sie mich zu streicheln. Sie sagte nichts. In meiner Zelle warf ich mich aufs Bett. Das Kleid, das ich für meine Tochter gestrickt hatte, paßte ihr nicht. Ich brachte es zurück und hing es an die Wand meiner Zelle. Seit dem Tag stricke ich nicht mehr.

Ich war erst zwölf Jahre alt, als ich mit Stricken anfing. Damals hatte ich für meine Brüder und uns selbst gute Sachen gestrickt. Mit den Mädchen im Dorf strickten wir um die Wette unsere Aussteuer. Als mein Mann in Deutschland war, habe ich heimlich Socken und Pullover für ihn gestrickt. Ich war sehr neugierig darauf, ob ihm meine Sachen passen, vor allem aber gefallen würden. Damals hatten wir für die Wolle kein Geld, wir spannen die Wolle selber, färbten sie mit Pflanzenwurzeln und Zwiebelschalen. Die schönsten Muster und Farben entstanden. Später lernte ich bei meinen Schwiegereltern, wie man Kelims webt. Im Herbst nach unserer Hochzeit habe ich für meinen Mann auch einen gewebt, Weihnachten wollte ich ihn damit überraschen, mit meinem selbstgewebten, ersten Stück.

Er und seine Familie waren sehr fromm. Mein Mann lernte schon als kleiner Junge den Koran auswendig. Er achtete die religiösen Riten und Gebote. Das gefiel mir, ich war beruhigt, daß ihm die Moral viel bedeutete. Wer so an Gott glaubte, würde sich in Deutschland, wo es mit der Moral nicht so ganz genau genommen wurde, nicht ändern. So dachte ich. Seine strenge Religiosität würde ihn schon daran hindern, sich an fremde Frauen, Alkohol, Glücksspiel usw. zu gewöhnen. Es wurde Winter, die Tage näherten sich, daß wir ihn erwarteten. Die ganze Familie bereitete sich vor. Der Schwiegervater machte genaue Pläne, welche Geschäfte in der kurzen Zeit mit ihm erledigt werden müßten. Die Schwiegermutter holte die schönsten Sachen aus dem Keller. Das Haus wurde blitzblank geputzt, der Schnee im Hof wurde geschaufelt, alle hatten Pläne mit ihm. Wenn er kommt, mache ich das, wenn er da ist, mache ich dies ... Er kam nicht. Aus unbekannten, auch heute für mich noch unbekannten, unerklärlichen Gründen meldete er sich ab. Er schickte eine Kassette, auf der er seine Stimme aufgenommen hatte.

Wir versammelten uns alle wieder, um seine Stimme auf der Kassette zu hören. Der Schwiegervater spielte uns die Kassette vor, mein Mann grüßte uns alle. Es ginge ihm gut, er hätte viel zu tun, die Kassette mit seiner Stimme sollte uns trösten. Nach der ersten Hälfte der Kassette ging ich aus dem Zimmer ... Der Rest interessierte mich nicht mehr. Alle Träume waren umsonst geträumt.

Die jüngste Schwägerin tröstete mich, daß er im Frühjahr kommen würde, wenn die Lämmchen und Kälber geboren werden. Das Frühjahr kam schnell, alles war viel schöner als der Winter, die Natur wachte auf, überall blühten die Obstbäume, die Menschen kamen aus ihren Häusern.

Der Winter auf dem Lande ist sehr hart. Die Bauern setzen sich in den Wintermonaten zur Ruhe. Bei manchen Familien gehen die Nahrungsmittel oder der Brennstoff schon in der Mitte des Winters aus. Viele der Alten und Kranken im Dorf sterben. Auch für kranke Kinder ist die Rettung im Winter schwerer. Wege und Straßen sind völlig verschneit. Die ohnehin schlechte Verbindung in die Stadt fällt im Winter ganz aus. Die Lehmhäuser bieten wenig Widerstand gegen Regen, Kälte und Schnee. Wenn man die Dächer nicht rechtzeitig mit Salz überzieht, um die vielen kleinen Löcher zu stopfen, fließt das ganze Regenwasser und der geschmolzene Schnee durch das Dach ins Innere.

Den Winter haben wir besser als manch andere Familie überlebt. Meinen Schwiegereltern ging es relativ gut. Wir hatten genug zu essen und zum Brennen, konnten sogar manchen Familien mit etwas Brennstoff aushelfen. Wir hatten rechtzeitig Holz gesammelt und Tezek gemacht. Aber auch bei uns hatte der Winter Schaden angerichtet. Die Außenmauer mußte erneuert werden. Klein und groß machten sich an die Arbeit. Der Schwiegervater erklärte uns, wie es geht. Und wir mauerten. Es war noch nicht so heiß, daß die Mauer schnell trocknete, aber sie mußte in jedem Fall fertig sein, wenn mein Mann kommen würde. Ja, er kam. Er kam an dem angekündigten Tag in den Abendstunden mit einem Dolmuş. Alle Kinder rannten zum Wagen und nahmen ihm sein Gepäck aus der Hand. Noch bevor er richtig angekommen war, rannten die Kinder nach Hause und verlangten nach dem Bakschisch, der Überraschungsgabe. Ich knetete gerade Brotteig, wusch mir schnell die Hände und lief zur Tür. Im Nu waren alle vor unserem Haus versammelt. Ich zitterte und war völlig verwirrt. Wir wechselten kaum ein Wort miteinander. Die Geschenke wurden ausgepackt, abends kamen die Männer und Frauen, um ihn zu sehen und ihre Glückwünsche auszusprechen. Einige Frauen und Kinder erkundigten sich nach ihren Männern bzw. Vätern.

Er erzählte bis spät in die Nacht unaufhörlich von Deutschland. Ich konnte nur stellenweise etwas zuhören, da ich ständig Kaffee und Tee servieren mußte. Ah, wie sehr wünschte ich, so schnell wie möglich neben ihm zu liegen, bis zum Morgen seinen Erzählungen zu lauschen. Mein Wunsch ging in Erfüllung. Kaum waren die Gäste gegangen, lagen wir schon nebeneinander, und im schwachen Licht der Petroleumlampe erzählte er, bis der Morgen anbrach. Die ersten Vögel zwitscherten; er war eingeschlafen. Wie müde er war. Ich stand auf und wollte mir heißes Wasser machen. Die Schwiegermutter war schon auf den Beinen und hatte mir einen Kübel mit heißem Wasser bereitgestellt. Ich duschte und wünschte, schwanger zu sein. Ich war froh, erleichtert, leicht wie ein Vogel. Mein Mann war gekommen, ich war glücklich. Ich machte mich am Morgen an die Arbeit, als hätte die großen Berge ich erschaffen.

Die vier Wochen vergingen schnell, zu schnell. Die Trennung stand uns schon wieder bevor. Ich litt innerlich, ließ mir aber nichts anmerken. Ich wünschte mir sehnlichst, er würde mich diesmal mitnehmen, aber er verlor kein Wort darüber. Der Tag kam, ein anderer Arbeitskollege holte ihn mit seinem Wagen ab. Im Morgengrauen fuhren sie los. Meine Welt wurde wieder trüb, die Einsamkeit und die Ängste wuchsen. Vor allem die Ängste machten mir zu schaffen. Ich lag manche Nacht im Bett, ohne die Augen zu schließen und zitterte vor Angst. Tagsüber war sie einigermaßen erträglich, die Arbeit lenkte ab. Beim Anbrechen der Dunkelheit jedoch hüllte mich die Angst wieder ein. Es war unerträglich. Einmal stellte mich die Schwiegermutter zur Rede und fragte, was mit mir los sei. Ich hatte stark abgenommen, mein Gesicht wurde von Tag zu Tag blasser. Als ich schluchzend meinem Herzen Luft machte, faßte sie mich zum ersten Mal zärtlich und mütterlich an. Die Schwiegereltern und ich ritten auf dem Esel zum Cinci Hoca vom Nachbardorf. Unterwegs tröstete mich die Schwiegermutter. Sie sagte, der Hoca würde die Geister aus mir heraustreiben und mich von den Ängsten befreien. Wollten mich die bösen Geister zugrunde richten? Wir nahmen einige Geschenke, auch ein Nylonhemd aus Deutschland mit, um sie dem Hoca zu geben. Meine einzige Hoffnung war er. Seine Behandlungsweise war allerdings merkwürdig. Erst flüsterte er ein paar Gebete in eine Schüssel voll Wasser, dann ließ er mich in das Wasser spucken, anschließend warf er einen Groschen hinein und flüsterte erneut. Dann sagte er, die Tausende winziger Geister, die er im Wasser gesehen hatte, seien nun fort. Ich müsse nur noch das Wasser in drei Tagen ausgetrunken haben. Danach schrieb er irgendetwas in arabischer Schrift auf ein Wachstuch und faltete es in Dreiecksform. Dies müsse ich um den Hals hängen. Wenn ich auf die Toilette ginge, müsse ich das Amulett abnehmen und draußen lassen, sonst würden die bösen Geister wiederkommen. Wenn ich die Ängste nach vierzig Tagen noch nicht los sei, dann helfe nur noch, nach Deutschland zu meinem Mann zu gehen. Das war das Stichwort. Vierzig Tage. Auch wenn die Ängste nach vierzig Tagen weg gewesen wären, hätte ich so getan, als wären sie noch vorhanden. Sie gingen nicht weg, in der Tat. Der Hoca erzählte außerdem von einer blonden Frau mit blauen Augen. Die blauen Augen brächten Unglück. Diese Frau hatte er im Wasser gesehen, sie hatte, meinte er, den bösen Blick. Er hatte sie zusammen mit meinem Mann in der Wasserschüssel gesehen. Diese Frau wolle mich von meinem Mann trennen. Ich solle möglichst schnell zu ihm gehen. Mich hatte die Unruhe ganz gepackt. Ich war völlig am Ende, als wir nach Hause ritten. Seit diesem Tag war die ganze Familie wie verwandelt. Sehr bald schrieb der Schwiegervater das Ereignis meinem Mann. Ich war auf die Antwort gespannt. Ich wartete auf seinen Brief und zählte die Tage. Etwa nach sechs Wochen kam er. Er teilte mit, daß ich bald zu ihm reisen könne. Er müsse eine Wohnung suchen und Möbel anschaffen. Einige Tage später kam ein Flugticket. Die ganze Familie war damit beschäftigt, für meine Reise Vorbereitungen zu treffen. Ich konnte es gar nicht fassen. Erst die Reise nach Istanbul, dann der Flug durch den Himmel, dann Deutschland ...

Ich war neugierig, aufgeregt wie noch nie. Mein Mann schrieb in seinem Brief, ich solle nicht viel Gepäck mitbringen, in dem Zustand. Er würde mir dort neue Kleider kaufen. Nur etwas Heimatliches zum Essen würde ihn freuen. Ich packte einiges an getrocknetem Gemüse, Oliven, frische Okrabohnen, Fladenbrot, den Gebetsteppich und die selbst-gestrickten Socken ein. Der Schwiegervater und ich fuhren mit dem Sammeltaxi in die Stadt. Von dort aus ging es mit einem Nachtbus nach Istanbul. Am nächsten Tag gegen Abend kamen wir dort an. Da ich erst gegen Mitternacht abflog, blieben wir einige Stunden in Instanbul. Wir hatten Hunger. Solange waren wir noch nie mit dem Bus gefahren. Mir war übel geworden. Wir spazierten vom Busbahnhof ziellos dorthin, wo sich viele Menschen angesammelt hatten. Männer verkauften mit lauter Stimme Obst und Gemüse. Die Menschen liefen, als würden sie in eine Richtung fließen. Schließlich kamen wir an einem Hafen an, wo Menschen in einer Schlange standen, um auf ein großes Schiff zu gehen. Es herrschte reger Schiffsverkehr. Ich sah soviele Dinge auf einmal. Ich hätte mir gerne alles länger angesehen, die berühmte, schöne, große Stadt. Aber hierher konnte ich ja später mit meinem Mann noch einmal kommen. Jetzt war keine Zeit zu verlieren. Deutschland wartete auf mich! Es war nicht schwer, den Flughafen zu finden. Wir mußten oft fragen, doch wir kamen relativ gut an. Istanbul, der Anblick dieser Großstadt ging mir nie wieder aus dem Kopf. Alles war wie im Märchenland. Die Menschen hier waren ganz anders als die Menschen in meinem Dorf. Sie glichen Ameisenhaufen und die Autos sahen wie Spielzeug aus, Häuser stiegen den Himmel empor und die Möwen ... Das

Meer sah ich zum ersten Mal. Groß war es, unendlich groß. Im Flughafen stand ich einige Zeit neben dem Schwiegervater. Es war alles so neu für mich, auch der Flughafen war voller Menschen. Manche lagen auf den Bänken und schliefen, kleine Kinder schrien, überall standen Gepäck, Koffer, Tüten. Alle wollten wohl nach Deutschland zurück. Wir mußten das Gepäck abgeben und verabschiedeten uns kurz darauf. Mein Schwiegervater war so gut zu mir. Er sprach mit einer Frau, die mit ihren Kindern ebenfalls nach Deutschland flog. Sie kümmerte sich später, während des Fluges, um mich.

Das Flugzeug stieg über die gewaltige Stadt, es war alles unfaßbar, was um mich herum geschah. Der Himmel war glatt wie ein blaues Bettlaken, die Sonne ging unter wie ein Stück Feuer. Das Flugzeug schüttelte sich etwas, mein Magen drehte sich, mir wurde schlecht. Ich konnte jedoch nicht brechen, der Magen war leer. Ich war aufgeregt, lehnte meinen Kopf etwas zurück und schlief ein. Die schöne Stewardess weckte mich mit einem Tablett voll Essen in der Hand. Sie hatte blaue Augen, blonde Haare. Sie lächelte so warm. Es stimmte nicht, was der alte Mann gesagt hatte. Die blonde Frau hatte mit mir nichts Böses im Sinn. Sie fragte mich »Çay« oder »Kahve«. Es gefiel mir, wie sie es sagte, wie ein kleines Baby, das eben sprechen lernte. Sie brachte mir Tee, räumte später das Tablett ab, zeigte mir in ihrer Sprache mit vielen Zeichen, wie ich mich anschnallen sollte. Sie schnallte mir den Gurt an. Wir landeten. Plötzlich applaudierten die Leute, wir waren heil angekommen. Es waren wenig Frauen im Flugzeug. Hinten wiegte eine Frau Neugeborenes die ganze Zeit. Es schrie unaufhörlich. Unten warteten viele Leute. Das Gesicht meines Mannes war das erste Bekannte, Vertraute für mich. Es fiel mir sofort auf. Er nahm mich zum ersten Mal in der Öffentlichkeit in die Arme. Ich schämte mich unendlich, ich zitterte. Wir holten mein Gepäck und stiegen in den Gebrauchtwagen, den er gerade von einem Türken gekauft hatte. Wir fuhren zu unserem Haus, zu unserer eigenen Wohnung. Die glücklichen Gefühle jenes Tages kann ich wohl nie beschreiben.

Es war Nacht, als ich in Deutschland ankam. Wir fuhren eine Weile durch eine große Stadt. Ich sah nur Lichter, die mich fast blendeten. Wir fuhren lange, dann kamen wir in immer dunkler werdende Straßen und Ortschaften. Ich fragte mich, ob wir in Deutschland auch in einem Dorf wohnen würden. Mein Mann erzählte dann, daß unsere Wohnung der Firma gehöre, daß wir zwar etwas abgelegen wohnen würden, aber gerade das wäre das Schöne. Es wäre auch ein Garten dabei. An diesem Abend erzählten wir nicht mehr lange. Ich war müde, glücklich, voll mit neuen Eindrücken. Am nächsten Tag konnte ich es nicht abwarten, hinauszugehen. Hinter dem Haus war ein Garten, im Haus wohnten ausschließlich Türken. Die Kinder spielten unter dem Fenster, schimpften halb auf deutsch, halb auf türkisch. Am gleichen Tag kamen die Frauen, um mich willkommen zu heißen. Sie waren nett, eine von ihnen zeigte mir den Teil des Gartens, der zu uns gehörte, so daß ich bald eine Beschäftigung hatte. Ich pflanzte Gemüse, Salat, alles mit türkischem Samen. Ach, war es schön. Ich war so von Freude erfüllt, daß ich Gott wahrscheinlich zu wenig dafür dankte.

Die erste Zeit war schön, mein Mann reichte mir voll und ganz. Ich hatte kaum Sehnsucht nach der Heimat. Wir waren öfters mit meinem Bruder und meiner Schwägerin zusammen. Dazu lernten wir andere türkische Familien kennen. Wir waren wirklich glücklich. Ich hatte keinen Kontakt nach außen, zu Deutschen hatten wir auch keine Beziehungen. Die Wohnung gehörte der Firma, in der mein Mann arbeitete. Sie war alt und nicht besonders komfortabel, dafür war die Miete sehr niedrig. Wir konnten gut leben und sogar sparen. Einige Monate nach meiner Ankunft in Deutschland merkte ich, daß ich ein Baby erwartete. Die ersten Monate der Schwangerschaft war ich sehr traurig und krank. Ich lag manche Tage lustlos im Bett. Bei der Geburt mußte ich operiert werden. Auch schon vor der Geburt war ich einmal eine Zeitlang im Krankenhaus gelegen. Das war mein erster Kontakt zu den Deutschen. Ich konnte kein Wort Deutsch sprechen, aber auch kein Wort verstehen. Damals gab es längst nicht soviele Ausländer wie heute, heute sind es so viele. Da war eine Griechin im Krankenhaus, aus Kreta. Ich lag mit ihr in einem Zimmer. Sie sprach Türkisch, ihre Vorfahren waren aus der Türkei. Sie übersetzte alles für mich, mit dem Schweinfleisch und so. Sie war ein guter Mensch, sehr gut. Die deutsche Krankenschwester lachte jedes Mal, wenn sie mir Essen brachte. Sie hob ihren Zeigefinger und sagte: »Ich schwöre bei Allah, es ist kein Schweinefleisch«. Sie mußte es jedes Mal sagen, sonst hätte ich das Essen nicht angerührt.

Ja, so ist es. Mit dem Schweinefleisch ist das so eine Sache. Damals hätte ich nie zu träumen gewagt, daß ich mich je im Leben daran gewöhnen könnte. Im Gefängnis habe ich mich anfangs lange daran gehalten. Das Essen ist hier miserabel. Der bittere Kaffee und das Stück Brot zum Frühstück, die Kartoffeln und irgendein Gemüse dazu. Wenn wir Glück haben, bekommen wir ab und zu ein Stück Fleisch. Abends bekommen wir wieder Brot, etwas Käse und Kaffee. Anfangs hatte ich mir Teebeutel gekauft und konnte heißes Wasser bekommen. Später habe ich mich an den Kaffee gewöhnt. Ich ließ anfangs das Fleisch zurückgehen. Ich hatte noch eine sehr starke Abneigung, aber ich nahm von Tag zu Tag immer mehr ab. Da ich auch keine Kartoffeln aß, blieb nichts übrig. Eine Zeitlang hungerte ich regelrecht. Nach dieser Phase zwang ich mich zu essen, was ich bekam. Es schmeckte mir nicht, aber ich mußte essen, um auf den Beinen zu bleiben. Meine Arbeit ist sehr hart, außerdem rauche ich sehr stark. Ich fing dann auch an, Schweinefleisch zu essen. Die anderen Türkinnen essen immer noch kein Schweinefleisch. Sie bekommen die sogenannte ›Moslemkost‹. Das ist im Grunde nichts Besonderes, nur wenn die anderen Schweinefleisch bekommen, gibt es für die Moslems Hühnerfleisch oder etwas vom Rind. Das ist aber so selten, daß man sich davon nicht ernähren kann. Die Moslemkost kommt in getrennten Schüsseln, damit das Geschirr nicht mit dem Schweinefleisch in Berührung kommen kann. Einmal haben die anderen Türkinnen protestiert, sie haben richtig Krach geschlagen, als die Küchenchefin die Kelle aus dem Topf mit Schweinefleisch nahm und anschließend mit der gleichen Kelle die Moslemkost verteilte. Ich habe mich beinahe kaputtgelacht. Alle wußten inzwischen, daß ich Schweinefleisch aß, darum wurde ich von meinen Landsmänninen schief angeguckt. Nicht nur wegen des Schweinefleisches, auch wegen des Rauchens und weil ich mich wie die deutschen Frauen kleide: Hosen, ärmellose Blusen. Ich habe mir die Augenbrauen gezupft, mich geschminkt, wenn ich meinen Freund besuchen wollte usw. ... Ich bin mit Pluderhosen ins Gefängnis gekommen. Ich kleidete mich in Deutschland, vor meiner Gefängniszeit, auch wie die anderen Türkinnen. Es dauerte nicht lange, bis ich alles in die Ecke warf und mir neue Kleider kommen ließ. Ich wollte mich völlig ändern. Ich wollte die Vergangenheit abschütteln, innerlich und äußerlich. Ich fühlte mich außerdem nicht wohl in meinen alten Kleidern. Alles erinnerte mich an meine Vergangenheit. Natürlich haben meine Bekanntschaften mit deutschen Frauen sehr viel ausgemacht. Sie haben mir immer wieder eingeredet, meine Trauer zu vergessen und zu lernen, auch im Gefängnis zu leben. Ich bekam im Gefängnis einige Kleidungsstücke. Im anderen Gefängnis gab es eine Rumpelkammer, die voller Kleidungsstücke war. Für einen ganzen Vormittag wurde ich dort hineingesteckt. Ich suchte mir passende Kleider, Hosen, Pullis, aber auch Unterwäsche aus. Anschließend habe ich alles gewaschen, geflickt und gebügelt. Vieles davon war eigentlich nicht mehr gut. Aber für den Anfang mußte ich damit auskommen. Kurze Zeit später quälten mich diese Kleider, weil ich immer an die Frauen dachte, die diese Kleider einmal getragen hatten. Manche von ihnen wurden entlassen, andere sitzen in anderen Gefängnissen, irgendwo. Es kam mir vor, als trüge ich ihr Schicksal mit mir. Wenn jemand aus dem Gefängnis befreit wird, läßt er seine neuesten Sachen zurück, nimmt nur die alten, nicht mehr brauchbaren mit. Das bringt anderen Häftlingen Glück, so glauben wir. Kurze Zeit später fing ich an zu arbeiten. In den ersten Monaten bestellte ich laufend Sachen. Damals kam eine Sozialbetreuerin, die damit beauftragt war, türkische Häftlinge zu besuchen, ihre behördlichen Angelegenheiten zu erledigen und für sie einzukaufen. Sie brachte Kataloge. Wir konnten uns einiges aussuchen, dann bestellte sie es für uns. Das Geld bekam sie aus der Kasse, da wir nicht über unser Geld verfügen durften. In einem Katalog habe ich einmal einen goldenen Gürtel gesehen. Er gefiel mir so sehr, daß ich ihn haben wollte. Monatelang träumte ich davon. Ich weiß nicht warum. Ich hatte keine passenden Kleider dazu, außerdem gehörte dieser Gürtel zu einem Abendkleid. Dies besaß ich aber nicht, wozu auch im Gefängnis. Für welche Feierlichkeit? Diese Fragen kommen mir jetzt. Damals war ich davon besessen, diesen Gürtel zu besitzen. Er war für meine Verhältnisse hier viel zu teuer, ein Luxus obendrein. Damals mußte ich mehr als ein Monatsgehalt dafür zahlen. Aber ich bekam ihn. War dieser Gürtel ein Symbol der Freiheit, ein Gegenstück zu den eisernen Gittern, ein Symbol des Unerreichbaren? Ich weiß es nicht. Nur die Schnalle des Gürtels erinnerte mich auf den ersten Blick an die Schnalle meiner ersten Schuhe, die unsere Ziege auffraß. Es tat mir nicht einmal weh, daß ich mein in einem ganzen Monat schwer verdientes Geld, ohne mit der Wimper zu zucken, dafür hergab. Wofür arbeitete ich denn sonst? Bevor ich ins Gefängnis kam, hatte ich noch nie Geld verdient. In unserem Dorf kannte ich ja nur die Feldarbeit, später in Deutschland konnte ich nicht arbeiten gehen. Meine Kinder waren zu klein, außerdem hätte dies mein Mann nicht gewollt.

Das erste Jahr im Gefängnis arbeitete ich nicht. Ich wollte es nicht, konnte es nicht. Ich war noch zu sehr mit mir und dem, was geschehen war, beschäftigt. Erst nach einem Jahr kam ich zu mir und merkte, daß die Zeit nicht verging mit Grübeln und Erzählen. Ich meldete mich für eine Arbeit. Erst bekam ich eine Arbeit in der Druckerei, die gleich im Nebenhof des Gefängnisses liegt. Dort wurden Kalender hergestellt und Bücher gebunden. Ich arbeitete mich sehr schnell ein. Wir alle verdienten sehr wenig, die Arbeit war jedoch sehr anstrengend. Morgens mußten wir schon um sechs Uhr anfangen, nachmittags um sechzehn Uhr waren wir alle völlig kaputt. Die Bezahlung war normal nach Tarif, aber ich bekam für die normale Leistung und Arbeitsstunden nur DM 90,– im Monat gutgeschrieben. Davon durfte ich etwa ein Viertel ausgeben. Ich bekam anfangs nur für DM 25,– Einkaufsgutscheine. Der Rest des Geldes blieb in der Kasse. Was kann man für DM 25,– kaufen? Jede Woche kam ein Einkaufsbus, in dem eigentlich alles zu bekommen war. So mußte ich manchmal mit einer Flasche Limonade, einer Tafel Schokolade und einer Tube Zahnpasta einen ganzen Monat auskommen. Ein Jahr hielt ich diesen Zustand aus, später bekam ich das Angebot, in der Waschküche zu arbeiten. Erst beim Bügeln und Zusammenlegen der Wäsche, später bei den Wasch- und Trockenmaschinen. In der Waschküche war die Arbeit nicht so schwer. Beim Bügeln und Zusammenlegen der Wäsche mußte ich stehen, hier mußte ich auch hart arbeiten. Die Luft war schlecht. Wir waren zu mehreren in der Waschküche, aber es war keine Zeit für Unterhaltungen. Die Chefin war ziemlich streng, nicht böswillig, aber korrekt. Wir konnten uns nur in der Mittagspause etwas entspannen und ein paar Worte miteinander wechseln. Nun bin ich seit mehr als einem Jahr in der Waschküche bei den Maschinen. Hier bin ich zwar allein, aber selbständig. Außerdem ist nicht jede Minute etwas los.

Wenn ich die Wäsche in die Maschine stecke, bleibt mir immer noch etwas Zeit, bis die nächste Maschine ausgeräumt werden muß, um mich etwas hinzusetzen. Manchmal kann ich mir sogar die Wochenzeitschriften angucken, sogar etwas stricken. Diese Arbeit ist hier beliebt, weil man dabei mehr verdient als in der Druckerei. Neben dem Waschraum ist ein Nähraum, in dem ich manchmal meine Sachen ändern kann. Es sind mehrere Nähmaschinen vorhanden und alles was man zum Nähen braucht. Ich mußte nach und nach meine Röcke und Hosen immer enger machen. Seitdem ich hier bin, habe ich 30 Pfund abgenommen. Nachdem ich angefangen hatte zu arbeiten, normalisierte sich mein Appetit. Auch das Kettenrauchen mußte ich mir abgewöhnen. Das ist gut, aber dafür rauche ich jetzt abends um so mehr. Das Rauchen habe ich mir erst hier angewöhnt; erst kaufte ich mir Filterzigaretten, später, wie die anderen, Tabak. Filterzigaretten konnte ich mir auf die Dauer nicht leisten. Wer weiß, wie meine Lungen durch dieses Kraut aussehen! Meine Stimme ist in den letzten Jahren durch das Rauchen rauher geworden. Es hat sich überhaupt vieles an meinem Körper verändert. Einmal quetschte ich mir die Hand an der Waschmaschinentür. Das Blut floß in Strömen. Ich hatte so starke Schmerzen, schlimmer als bei der Geburt meiner Kinder. Die Wunde wollte und wollte nicht heilen. Wie meine Seele, die nicht aufhört zu bluten und zu schmerzen. Aber wem erzähle ich das alles, der Mensch ist zu allem fähig, vor allem hält er die schlimmsten Krankheiten und Schmerzen aus. Es gibt hier eine Seelsorgerin. Ihre Aufgabe ist es, unsere unheilbaren Seelen zu trösten. Manchmal gibt es die seltsamsten Sachen auf der Welt. Die körperlichen Leiden heilen erstaunlicherweise schneller als die seelischen. Aber auch bei körperlichen Leiden braucht der Mensch Hilfe. Ich mußte nur eimal während der ganzen Zeit hier von der ärztlichen Hilfe Gebrauch machen. Das war damals im ersten Jahr meiner Gefängniszeit. Ich hatte mit einer Jugoslawin eine etwas engere Beziehung, so daß wir vieles teilten. Sie hatte eines Tages Ausgang und hatte sich meine schwarze Hose für diesen Tag ausgeliehen. Ich gab sie ihr selbstverständlich, und sie war selig. Am Abend brachte sie sie mir zurück. Ich hatte nicht daran gedacht, die Hose, bevor ich sie anzog, erst zu reinigen. Eines Tages zog ich sie an und bekam noch am gleichen Tag fürchterliche Unterleibsschmerzen. Ich wußte nicht, wie mir geschah. Ich konnte niemandem etwas sagen. Am nächsten Tag kam die Frauenärztin und stellte eine ansteckende Unterleibskrankheit fest. Da fiel bei mir der Groschen. Die Jugoslawin hatte mir verschwiegen, daß sie wegen dieser Krankheit schon seit langem in Behandlung war. Lange brauchte ich, um diese Krankheit loszuwerden. Die ärztliche Versorgung läuft hier relativ gut. Obwohl regelmäßig verschiedene Ärzte uns untersuchen und versorgen, gibt es hier sehr viele kranke Frauen. Viele leiden an Frauenkrankheiten. Einige kamen schon krank an. Ich weiß nicht, woran es liegt, ob die Nahrung, die Luft oder die Atmosphäre uns hier so krank machen. Unsere Wunden heilen schlecht, trotz der Ärzte und der Medizin. Unsere Wunden wollen nicht mehr heilen!

Ich habe mein Leben lang jede Art von Gewalt und Haß verabscheut, weil ich so sehr darunter gelitten habe. Unfaßbar ist es für mich heute noch, wie meine Liebe mit Gewalt honoriert wurde, so daß ich dadurch hassen lernen mußte. Jahrelang lebte ich in Todesangst, in wilder Verzweiflung. Wie begann mein Glück, wie wandelte es sich? Ich suche den Grund dafür. Ich liege manche Stunde regungslos und denke nach. In meiner Einzelzelle habe ich die nötige Ruhe dazu, niemand stört mich dabei, die Ruhe braucht man. Ich kann es nicht mehr aushalten, mit anderen zusammen zu sein.

Zur Zeit will ich nur noch arbeiten und nachdenken. Dann will ich wissen, warum ich hier sitze; ich will den Punkt finden, an dem sich alles in meinem Leben wandelte. Jedesman beginne ich, von neuem nachzudenken. Ich denke zurück, so weit es geht. Beginne bei meiner Kindheit, bis hin zum Tag des bitteren Geschehens. Dann stelle ich fest, daß es keinen Tag, keine Stunde gibt, an dem sich alles wandelte, sondern daß mich mein Unglück verfolgte seit meiner Hochzeitsnacht. Denn selbst in unserer ersten Nacht hatte mein Mann schon solche sittenwidrigen Wünsche. Ich lehnte es ab, und er akzeptierte es. Ich wußte, ich durfte mich ihm nicht so geben, wie er mich gerne haben wollte. Aber woher sollte ich wissen, daß diese Art des Liebens etwas Sittenwidriges war. Ich erinnere mich an einen Fall, der im Dorf lange die Runde machte. Ich war noch sehr jung, als es passierte, darum weiß ich die Einzelheiten nicht mehr. Eine Frau aus einem Nachbardorf, die wir nicht kannten, wurde von ihrem Mann gewalttätig zum Analverkehr gezwungen. Die Frau verschwieg es zuerst. Als sich ihre Schmerzen bei ihr so verschlimmerten, daß sie nicht mehr sitzen konnte, ging sie zum Hoca, um ihn um Rat zu bitten. Der Hoca gab ihr den Rat, nicht mehr zu ihrem Mann zu gehen, denn was er tat, war in unserem Glauben strikt verboten. Dann suchte der Hoca den Ehemann auf. Dieser gestand seine Schuld. Daraufhin konnte der Hoca die beiden scheiden. Der Mann wollte seine

Frau zurückhaben, und auch die Frau hatte trotz der erlittenen Schmach das gleiche Verlangen, weil sie bei ihren Kindern sein wollte. Sie hatte keine Chance, allein zu existieren, weil sie sehr arm war und sich im Dorf nicht vom Tagelohn über Wasser halten konnte. Die beiden wollten wieder zusammenkommen. Damit sie wieder Mann und Frau werden konnten, mußte die Frau, nach unserem Glauben, mit einem anderen Mann eine Nacht verbracht haben, wohlgemerkt, ohne sich berühren zu lassen. Diese Aufgabe übernahm der Hoca. Am nächsten Tag wurden sie wieder getraut. Der Mann schwor bei der zweiten Trauung, seine Sünde nie zu wiederholen. Diese Geschichte ging mir oft durch den Kopf. In meiner Not suchte ich jemanden, dem ich von meinem Schicksal berichten und um Rat bitten konnte. Ich hatte niemanden. Einmal versuchte ich, es meiner Schwägerin zu erzählen. Ich schämte mich aber so unendlich, daß ich es bald aufgab. Von ihr kam auch kein Ton. Angeblich erzählte sie es meinem Bruder weiter, aber er glaubte es nicht. Es kam zwischen ihm und mir darüber zu keinem Gespräch. So trug ich mein leidvolles Geheimnis die ganzen Jahre mit mir allein herum. Ich versuchte, allein damit fertigzuwerden, vor allem verlor ich bis auf den letzten Tag die Hoffnung nicht, meinen Mann auf die richtige Bahn zu bringen. Ich bat und bettelte, ich flehte ihn an, er solle es doch lassen. Ich liebte ihn, ich wollte nichts anderes, als daß wir zusammen mit unseren Kindern glücklich werden. Das wären wir auch geworden, wenn er bloß zu sich gekommen und vernünftig geworden wäre. Aber er drohte mir und hatte immer neue Einfälle und Ideen, die abscheulich und unter jeder menschlichen Würde waren. Er war unberechenbar. Ich war bereit, seine Gewalt auszuhalten, ich war bereit, zu hungern und Schmerzen zu ertragen, wenn er bloß von dieser einen Gewohnheit abgekommen wäre. Aber er dagegen wurde immer wilder und verbrecherischer. Er machte mir Angst, indem er zugab, daß er das alles auch mit seiner ersten Frau getan habe, auch sie hatte er geschlagen, gefoltert. Ich hatte erst einige Jahre nach unserer Heirat von seiner ersten Ehe erfahren. Ich lernte seine erste Frau und seine Tochter nie kennen. Sie muß sehr mutig gewesen sein, daß sie ihn einfach abschüttelte und sich scheiden ließ. Sie nahm ihre Tochter und behielt auch sonst alles, was zu ihrem gemeinsamen Haushalt gehörte. Ich weiß nicht, was aus ihr geworden ist. Bei mir glaubte er wohl, ich würde es nie fertigbringen, mich von ihm zu trennen. Was zum Teil stimmte. Ich hatte damals nicht den Mut, mich von ihm scheiden zu lassen, dazu liebte ich ihn zu sehr. Ich war jung, unerfahren, scheu, schüchtern. Er glaubte, mich noch mehr einschüchtern zu können. Er dachte, mich in meiner Unwissenheit zu einer Frau formen zu können, die seinen Wünschen entsprach. Aber es waren unmenschliche, bestialische Wünsche. Er drohte mir, wenn ich wegliefe, wenn ich mich von ihm trennen würde, so solle ich es doch tun, er würde mich selbst im letzten Mauseloch finden, er würde mich verfolgen, bis er mich dort hinbringe, wo er mich haben wolle. Ich hatte in der Tat keinen Menschen. Wo waren all diese Menschen, warum haben sie ihn nicht zur Vernunft gebracht und mir geholfen? Ich hatte niemandem etwas Böses angetan. Erst jetzt, Jahre später, begreife ich, daß der Mann nie zur Vernunft gekommen wäre, es war zu spät. Er hatte in seinem Leben zu viel erlebt, erfahren. Das Leben in Deutschland war ihm nicht gut bekommen. Er war außer Rand und Band. Die Freiheit und die Freizügigkeit der deutschen Frauen hatten ihn völlig verwirrt. Er hatte jegliches Maß verloren. Er glaubte das, was er draußen mit anderen Frauen machte, auch mit mir machen zu können. Lange Zeit konnte ich nichts anderes als weinen. Ich war fest davon überzeugt, daß mich alle vergessen hatten. Die Gleichgültigkeit der Menschen mir und der Tyrannei gegenüber, die ich auszuhalten hatte, steigerte meinen Zorn immer mehr. Irgendwann war ich auf das Schlimmste gefaßt. Und dann geschah es. Jedesmal wenn ich daran denke, zittert mein ganzer Körper, trotz der vergangenen Jahre, die inzwischen die Wunden längst hätte heilen müssen. Aber ich sagte ja, unsere Wunden wollen nicht mehr heilen.

Zur Zeit geht mir alles auf die Nerven, ich bin wieder in einer empfindlichen Phase. Die Nähe der

Menschen geht mir auf die Nerven. Alles um mich herum stört mich. Ich bin verzweifelt, gereizt nervös. Ich halte es hier nicht mehr aus, ich will hier raus! Es ist keine Bewegung, alles ist still und stumm. All die Jahre haben unsere Herzen und Seelen gleichsam verstümmelt?

Kann man die Jahre im Elend und der Abgeschlossenheit der Haft vergessen, wo wir Tag für Tag in unserer Zelle spürten, wie wir uns veränderten? Ja, wir sind nicht mehr wir, wir sind nicht mehr die Frauen und Männer, die wir einmal waren. Die Jahre haben uns zu dem geformt, was wir jetzt sind. Die Frage ist, wozu diese Jahre in der Haft genutzt haben. Haben wir unsere Tat gebüßt, hat man uns also nur bestraft, oder sollte die Zeit zur Heilung dienen? Zur Heilung der Gefühle und Krankheiten, die uns jeweils zu unserer Straftat brachten, Krankheiten, die die Gesellschaft nicht tragen wollte? Und wieder frage ich, wozu die Strafe nützlich ist. Wer kann jetzt garantieren, daß die gleiche oder eine ähnliche Tat nicht wiederholt werden würde? Das Besondere daran ist, daß sich ein Wiederholungsmotiv überhaupt erst in der Haft entwickelt. Will man uns Reue beibringen? Uns steckt man jahrelang hinter Gitter, damit wir selbst erkennen, wie schlimm es war, was wir getan haben. Dazu braucht man nicht Jahre, auch kein halbes oder ein ganzes Leben im Kittchen, die Reue kommt unmittelbar nach der Tat. Die Frage ist nur, ob man sich dessen bewußt wird. Wenn man uns als neue Menschen für die Gesellschaft gewinnen will, ist dies, weiß Gott, nicht der richtige Weg. Denn ich sage euch, wir sind andere Menschen geworden; ob wir für die Gesellschaft da draußen, für eure heile Welt wieder tauglich geworden sind oder nicht, ist keine Frage. Das sehe ich hier und lebe tagtäglich in dieser kleinen, eingeengten Welt, im Frauengefängnis. Wie oft manche schon hier gewesen sind und ihre immer länger werdenden Strafen, manche sogar ihr ganzes Leben hier absitzen! Vorbestraft zu sein, bedeutet, immer wieder straffällig zu werden. Wir werden nach der Entlassung lernen müssen, damit zu leben.

Der wievielte Tag ist heute, an dem ich mit Sehnsucht auf meine Entlassung warte, wieviel hundert Tage habe ich die Sonne nicht auf- und untergehen sehen? ›Entlassung‹ ist der Gedanke, an dem wir alle stumpf und verbissen hängen. Und was heißt das? In ein ungewisses Leben entlassen zu werden. Trotzdem ist uns dies soviel wert, daß wir weinen, beten, mit unserem ganzen Innern an dem Gedanken hängen, bald entlassen zu werden. Unsere Delikte geboren aus der Not, im Affekt oder aus einem Irrtum haben wir schon längst in der Haft verbüßt. Um dennoch hier nicht zugrundezugehen, braucht man geistige und körperliche Reserven. Einmal las ich ein Buch, das die Verfasserin im Gefängnis geschrieben hatte, so etwas wie ein Tagebuch. Da stand: »In der Haft wird alles getan, um den Sträfling sein Verbrechertum, seine

Minderwertigkeit, sein selbstverschuldetes Ausge-
schlossensein von der freien menschlichen Gesellschaft, nackt und gründlich empfinden zu lassen.
Eine Haft von kurzer Dauer mag ohne ernstliche
Folgen für das Selbstbewußtsein und das mora-
lische Verhalten des Sträflings sein. Eine längere
Haft aber wirkt unter allen Umständen demorali-
sierend. Man wird hier im Gefängnis gerade zum
Gegenteil von dem, was man werden soll. Man
wird asozial. Ist man erst einmal aus der Gesellschaft ausgeschlossen, beginnt man sich selbst
auszuschließen ... Wäre es nicht tausendmal besser, man schaffte die Gefängnisse und Zuchthäuser
ab? Man bessert Menschen niemals durch Demütigung und Unterdrückung, sondern nur durch Erziehung, durch Hebung des Selbstbewußtseins und
richtige Lenkung der Kräfte."*

Ich habe entsetzlichen Hunger. Seit einigen Wochen leide ich unter Magenschmerzen. Ich kann
nichts essen. Wenn ich nicht esse, nehmen die
Schmerzen zu. Ich müßte aufhören, nachts zu rauchen. Aber es ist schwer; das Schlimmste ist, wenn
ich nachts aus einem Traum erwache. Wenn ich
zu mir komme, vergesse ich, wovon ich geträumt
habe. Nur das verfluchte Gefühl der Angst, das Zit-
tern der Haut und das Herzklopfen kann ich lange
Zeit nicht loswerden. Dann zünde ich mir natürlich eine Zigarette an und dann eine zweite, dann
eine dritte. Ich komme auf die unmöglichsten Gedanken. Wie soll ich das alles aushalten? Was soll

nur werden nach der Entlassung, der Entlassung in die Freiheit, die Städte, zu den Menschen; aber was heißt das konkret? Hierbleiben oder in die Heimat zurück? Ich habe nicht die Wahl, ich werde abgeschoben. Ich werde abgeschoben, um dann den Rest meines Lebens in der Heimat im Knast zu verbringen. Ich will nicht! Ich will nicht in die Heimat zurück! Auch wenn ich wüßte, daß ich nicht noch einmal verurteilt würde, will ich nicht zurück. Ich habe Angst. Ich will nicht, daß Blut mit Blut gelöscht wird. Man wird sich an mir rächen. Die Brüder meines Mannes werden mit mir abrechnen. Man wird mich töten, ich aber will leben, ich will noch meine Kinder großziehen, ich will dafür sorgen, daß sie eine gute Ausbildung bekommen. Ich will, daß sie glückliche, gesunde, freie Menschen werden. Warum kann ich nicht hierbleiben? Ich habe keinem Deutschen etwas angetan. »Die Gesetze verlangen es«, sagte die Sozialberaterin. Aber die Gesetze machen doch die Menschen; diese Menschen sollen kommen, sie sollen mich sehen und dann, dann werden sie ganz sicher ihre Gesetze ändern. Sie werden sehen, daß ich keiner Ameise etwas antun würde. Weiß man denn überhaupt, was man tut, wenn man mich abschiebt? Wissen diese so klugen Männer und Frauen, was in meiner Heimat auf mich wartet? Wissen sie überhaupt, daß meine Heimat nicht nur das Land der Märchen aus Tausendundeiner Nacht oder ein Paradies der blauen Meere und Strände ist?

Meine Zukunft, die Zukunft meiner Kinder, die ich mit mir ins Unglück gestürzt habe – ich will einmal zeigen, was ich kann. Will man denn nicht begreifen, daß ich durch die Sehnsucht nach meinen Kindern genug gelitten habe, daß ich nicht mehr Leid ertragen kann? Was haben die Deutschen davon, wenn sie mich abschieben? Werde ich abgeschoben, weil man glaubt, ich könnte noch einmal gefährlich werden? Ist das die Verantwortung der Justiz der Gesellschaft gegenüber? Wen will man beruhigen mit meiner Abschiebung? Wen geht es hier direkt an? Warum werden die straffällig gewordenen Deutschen nicht in ein anderes Land abgeschobene, wenn es darum geht, die deutsche Gesellschaft reinzuhalten? Es werden tagtäglich zahllose Menschen aus den Gefängnissen entlassen, deren Rückfälligkeit durch niemanden verhindert werden kann. Warum dann ich nicht? Ist der Paß das Stück Papier, das mein Leben entscheidet? Ist es so leicht, mit Menschen umzugehen wie mit einem Gegenstand? Kommen und gehen lassen, beschäftigen, wenn Not am Mann ist, entlassen, wenn er nicht mehr gebraucht wird. Oder wenn er verbraucht, krank, alt, ausgelaugt, bedürftig, asozial, straffällig geworden ist? Ihr da draußen! Seid ihr denn wie Schafe in der Herde? Warum sagt ihr keinen Ton? Lebt ihr denn überhaupt noch?

Meine Zukunft ... von der ich mein Leben lang träumte, Familie, Arbeit, Liebe, Frieden! Ich bin müde, will schlafen! Heute rief mich Gabriele zu sich. Sie hatte wieder die ganze Nacht nicht geschlafen, mit ihr sieht es schlecht aus. Sie ist in diesem Land geboren, hat Verwandte, Freunde und eine Familie, Kinder, sogar einen Ehemann. Doch sie ist hier mutterseelenallein. Niemand kümmert sich um sie. Ihre Familie hat sie ausgestoßen, sie wollen sie auch von der Erbschaft ausschließen. Sie weiß noch nicht, wie lange sie sitzen muß, dabei scheint es eine Kleinigkeit gewesen zu sein, was sie getan hat, gegenüber anderen Verbrechen, deren Täter draußen frei herumlaufen. Sie hält es hier nicht aus. Sie ist von zierlicher Gestalt, viel zu vornehm für das Leben hier. Sie ist sehr gut zu mir. Doch ich kann ihr nicht helfen. Wir beide sind tief betrübt. Gestern hat es den ganzen Tag in Strömen geregnet; das Wetter in diesem Land macht die Menschen mißmutig.

Ich sehne mich nach Licht und Wärme. Der Sommer verging auch in diesem Jahr ohne viel Sonne. Die Bäume lassen schon wieder ihre Blätter fallen. Es ist merklich kühler geworden.

Ich muß nun das Fenster schließen. Heute abend werde ich mir wieder Zigaretten auf Vorrat drehen, ich habe nur noch wenig Tabak. Ich werde welchen ausleihen müssen, nächste Woche muß ich wieder viel einkaufen. Außerdem bekomme ich am Samstag Besuch, die Sozialarbeiterin kommt. Sie ist sehr nett. Diesmal habe ich bei ihr eine Musikkassette bestellt. Sie wollte sie aus einem türkischen

Laden besorgen. Hoffentlich bringt sie sie mit. Das ist ihr letzter Besuch bei mir. Sie fährt in die Türkei, wird dort Urlaub machen. Ich überlege, ob ich für die Mutter ein Päckchen mitschicken soll, sie würde das Päckchen auch persönlich bei ihr abgeben. Wenn ich will, tut sie das bestimmt. Sie ist wirklich eine gute Frau. Sicher hat sie eine glückliche Familie. Ich werde sie vermissen, sie war seit langem mein einziger Besuch und der einzige Draht nach draußen. Nach dem Urlaub wird sie von hier wegziehen. Sie wird nach Süddeutschland gehen, dort hat ihr Mann eine gute Arbeit gefunden. Sie will dann nicht mehr arbeiten, nur noch freiwillig, nur noch Gefangene betreuen, für sie den Schriftverkehr führen. Sie sagt, es würde sonst alles zu viel für sie, Familie und Beruf. Weil sie ständig unterwegs sei, würde ihr Kind zu kurz kommen.

Ich habe es mir überlegt; ich will nicht, daß sie zu Mutter geht. Ich werde auch kein Päckchen schicken ... Ich will nicht, daß sie ›Schöne Grüße aus Deutschland‹ mitbringt, als wäre nichts passiert. Dabei ist mein Leben zerstört. Ich bin jung, nicht eitel, wenn ich sage, es ist schade um mich. Ich habe noch nicht viel von meinem Leben gehabt ... Ich lebe schon so viele Jahre auf deutschem Boden, dabei kenne ich das Land kaum. Der erste Kontakt mit den Deutschen ergab sich im Krankenhaus, der zweite im Knast. Wenn ich in die Heimat abgeschoben werde, werden die Menschen dort sagen: »Du kommst aus Deutschland, wie läßt es sich dort leben?« Was soll ich antworten? Mein Deutschland besteht bisher nur aus schlechten Erinnerungen, kahlen Wänden und Medizingeruch vom Krankenhaus, kahlen Wänden und dem Mief im Knast. Ich habe keine Vorstellung, wo die Grenzen dieses Landes liegen. Was ist das eigentliche Deutschland? Wie sind die anderen Menschen auf der Straße? Ich meine nicht die im Krankenhaus und nicht die im Gefängnis. Warum habe ich eigentlich keine anderen Deutschen kennengelernt, bevor ich ins Gefängnis kam? Lag das an uns, wirklich nur an uns? Weil wir Ausländer sind? Warum haben sie sich nicht getraut, mit uns zu sprechen, nur so, von Mensch zu Mensch? Mein Mann konnte etwas deutsch, er hatte in der Zeche zwar meistens mit Türken zusammen gearbeitet, aber die Vorarbeiter und noch ein paar andere deutsche Männer waren auch dabei. Ich konnte ja nie Deutsche kennenlernen, ich war entweder nur zuhause, oder mein Mann war dabei, wenn wir ausgingen. Vielleicht drei oder viermal gingen wir zusammen in die Stadt, um groß einzukaufen; sonst erledigte er alles alleine. Wenn wir in der Stadt waren, mußten wir uns immer beeilen. Ich weiß nicht, warum. Aber ich wollte eigentlich immer etwas länger in der Stadt bleiben, mir die Schaufenster angucken usw. ... Aber wir kamen nie dazu, mein Mann hatte es nie von sich aus vorgeschlagen, und ich traute mich nicht, den Wunsch zu äußern.

Draußen weht ein starker Wind, die Bäume rauschen. Ich bin verwahrlost. Ich denke an den großen alten Maulbeerbaum in unserem Garten, auf dem ich als Kind manchen Sommer verbrachte. Die Maulbeeren waren so groß wie Datteln und so süß wie Honig. Den ganzen August pflückten und aßen wir Maulbeeren, bis wir Durchalbfettall bekamen. Und dann das Hühnchen mit dem schiefen Schnabel, das mich morgens bis zur Schule begleitete. Wie lange hatte ich an seinem Schnabel mit einer Schere herumhantiert, um ihn gerade zu biegen. Es war so mager, durch den schiefen Schnabel konnte das Arme kein Futter aufnehmen. Was wohl aus ihm geworden ist. Vor meinen Augen entsteht das Bild, wie es zwischen den Maulbeeren, die wir zum Trocknen in die Sonne legten, stundenlang mit einer Frucht kämpfte, um sie in den Schnabel zu kriegen. Immer, wenn der Herbst kommt, sehe ich uns, wie wir für den Wintervorrat sorgten. Alle Familien im Dorf hatten es eilig. Wir brachten den Weizen nach der Ernte auf dem Ochsenkarren ins Dorf. Es wurden große Feuerstellen errichtet, worauf der Weizen in riesigen Kupferkesseln gekocht und anschließend auf riesigen Flächen auf Tüchern in der Sonne zum Trocknen gelegt wurde. Wir Kinder mußten Wache halten, um die Hühner wegzuscheuchen. Nachdem der Weizen getrocknet war, saßen wir alle, Mädchen und Frauen, um die riesigen Kupfertabletts in der Runde, um die Steine aus dem getrockneten Weizen zu klauben. Dann mußten die Weizensäcke in die Mühle gefahren werden, wo sie zu Mehl und feiner Weizengrütze gemahlen wurden. Es war eine alte Wassermühle. Wer in die Mühle rein durfte, kam weiß wie ein Laken heraus. Dann die Aprikosenernte, die ein Fest für sich war. Wir wurden als Kinder überall eingespannt. Wir konnten als Kinder bei der Obsternte viel besser arbeiten als die älteren Leute. Es machte Spaß, auf die Bäume zu klettern, und das Obst zu schütteln und einzusammeln, es zum Trocknen zu legen. Wenn man das Dorf vom Berg aus in der Zeit der Aprikosenernte betrachtete, sahen die auf den Dächern der Lehmhäuser zum Trocknen ausgelegten Aprikosen wie eine einzige gelbe Sonne aus. Und dann die Pfefferminze, die Lindenblüten, Paprikaschoten, die Feigen und Quitten, die Auberginen, eine Farbenpracht ... Das alles mußte für den Winter zubereitet, getrocknet und gespeichert werden. Denn im Winter gab es nichts Frisches außer Brot und Milch. Manchmal tröste ich mich mit diesen Erinnerungen. Ich denke oft an jene Zeit.

Ich will diese Erinnerungen immer bis ins kleinste Detail in meinem Gedächtnis behalten. Es hilft mir, am Leben zu bleiben. Manchmal strenge ich mich an beim Nachdenken. Ich will mich lückenlos an meine Kindheit und Jugend erinnern. Doch es gelingt mir nicht. Es gibt Phasen, die völlig dunkel sind, in denen ich nicht weiß, wo ich war und was ich alles erlebte. Ich muß sie verdrängt haben. Wer weiß, was ich noch alles erleben werde.

Ich lebe zeitlos; einige Wochen sind vergangen, seit ich die letzten Zeilen schrieb. Ich versuchte gestern und heute, alles zu lesen, was ich niederschrieb, meine Handschrift ist schlecht lesbar, da merkte ich, daß ja überall das Datum fehlt. Die Armbanduhr liegt schon lange im Schrank. Dadurch, daß ich so stark abgenommen habe, ist mir die Kette zu weit geworden. Sie müßte enger gemacht werden. Aber ich brauche ja hier keine Uhr. Ich habe nicht einmal einen Kalender an der Wand, es geht auch ohne.

Der erste Schnee ist gefallen. Ich friere. Es wird hier nicht gut geheizt. Energie sparen ... Bald habe ich meine Zeit abgesessen, es wird das letzte Weihnachten und das letzte Neujahr sein, das ich hier im Knast verbringe. Welch eine Hoffnung ...

Gestern hat Marianne von ihrer Mutter ein Päckchen mit selbstgebackenem Kuchen, Schokolade und ein paar Tannenzweigen bekommen. Es war der erste Advent. Einige Frauen haben Adventskränze gebastelt und Kerzen angezündet. Es wird weihnachtlich. Das Fest des Friedens und der Nächstenliebe. Wie lächerlich das alles für mich klingt. Denn ich stelle zur Zeit auch Gott in Frage, Gott und seine Macht. Wenn er so groß und so mächtig ist, sag ich mir, und wenn er unser Schicksal auf unsere Stirn geschrieben hat, wie meine Mutter sagte, wie kann er dann seine Menschen, die er geschaffen hat, von oben ansehen und sie in ihrer Qual allein lassen? Das ist aber ein Kapitel für sich. Wenn ich an meinem Glauben zweifle, fürchte ich mich davor, daß Gott mich dafür bestrafen wird. Als bestünde der Glaube nur aus Strafe oder Belohnung. Mutter sagte mir: wenn der Mensch auf der Welt leidet, wird er im Jenseits dafür reichlich belohnt. Man muß aushalten, nie verzweifeln. Was habe ich davon, in das Paradies zu kommen, wer garantiert mir, daß ich überhaupt in das Paradies komme? Außerdem will ich hier leben; ich habe bis jetzt auf der Erde in der Hölle gelebt, ich verzichte freiwillig auf die göttliche Belohnung. Ich las einen Spruch, der besagte: »In der Natur gibt es weder Belohnung noch Strafe, es gibt nur Konsequenzen«.**

Ach, wie gemein ist das alles! Heute habe ich einen Berg von Wäsche gewaschen, getrocknet und zusammengelegt. Nach dem Feierabend war ich so erschöpft, daß ich etwas geschlafen haben muß. Es ist bald Mitternacht, ich höre die Schlüssel, höre, wie die Riegel auf- und zugehen. Der Schall der Schritte auf dem Flur hat mich geweckt. Die meisten schlafen schon, was wird passiert sein? Schon wieder ein Selbstmord? Morgen früh werde ich es erfahren. Heute rief mich der deutsche Sozialarbeiter zu sich. Er sagte, daß man sich darum bemühe, daß ich nicht abgeschoben werde. Ich weiß nicht, was ich damit anfangen soll, aber ich habe wieder Hoffnung. Andererseits aber ist es unwahrscheinlich, weil ich noch nie von Ausländern hörte, die nach der Entlassung hierbleiben konnten. Außer wenn sie mit Deutschen verheiratet sind. Es sei denn, ich habe unvorstellbares Glück. Nun darf ich mir nicht allzu große Hoffnungen machen, um nicht völlig zusammenzuklappen, wenn es nicht gelingen sollte, hierzubleiben. Die Chancen stehen 60 zu 40 für mich, sagte er. Aber es könne lange dauern, bis es entschieden wird. Nun kommen Monate auf mich zu, in denen ich in Ungewißheit warten muß, grübeln und grübeln werde. Wenn ich hierbleiben könnte, würde ich von neuem anfangen. Ich würde meine Kinder zu mir nehmen, eine Wohnung einrichten, die Kinder würden zur Schule gehen. Ich würde arbeiten, fleißig, mutig, geduldig, menschlich würden wir leben, wir drei, und glücklich sein. Nun habe ich wieder geträumt, ich kann es nicht lassen. Es ist hier sehr schwierig, nicht zu träumen, wenn man einen winzigen Hoffnungsschimmer bekommt. Die Ungewißheit ist schlimm. Ich warte jeden Tag auf eine Nachricht, es ist noch nicht entschieden. Andererseits bin ich froh, daß es so lange dauert. Ich habe Angst vor der Abschiebung. Ich bin unruhig, ich schlafe und träume schlecht, lauter beängstigende Sachen erscheinen im Traum, Panzerketten, Flugzeuge, als wären wir im Krieg. Was das wohl zu bedeuten hat? Wird es mit mir schlecht ausgehen? Hier kann ich nicht einmal den Kaffeesatz deuten lassen. Kann mir denn niemand sagen, was aus mir wird? Ich wurde ins Büro gerufen. Ich dachte natürlich sofort, daß die Nachricht gekommen ist. Erst wollte ich nicht hingehen, weil meine Knie wie gelähmt waren. Ich konnte kaum einen Schritt tun, dann raffte ich mich auf und nahm meinen ganzen Mut zusammen. Wenn es eine böse Nachricht ist, würde ich sie früher oder später sowieso erfahren. Wenn die Nachricht gut ist, dann um so besser. Weiter dachte ich nicht. Im Büro erfuhr ich dann, daß ich am Sonntag zwei Besucher bekommen würde. Einer von ihnen sei der Mann, der sich darum bemüht, mich hierzubehalten. Näheres über ihn weiß ich nicht. Ich kenne ihn nicht. Ich weiß nicht, wie er dazu kommt, eine Frau wie mich zu schützen. Er sei ein einflußreicher deutscher Mann. Der zweite Besucher sei eine Türkin, sicher irgendeine Dolmetscherin. Ich bin aufgeregt, ich muß einen guten Eindruck machen, ich muß mir genau überlegen, was ich sagen werde.

Landgericht

Im Namen des Volkes

Urteil

In der Strafsache

gegen

Die Hausfrau Suna S., geborene Türk, geb. am 9.5.1956 in Konya/Türkei; zuletzt wohnhaft in M., Karstenstr. 111, Türkin, verwitwet; z.Zt. in U-Haft in der JVA T.

wegen Mordes

In der Sitzung vom 5. Mai 19.. für Recht erkannt:

Die Angeklagte wird wegen Mordes zu 6 Jahren Freiheitsstrafe kosten- und auslagenpflichtig verurteilt. – §§ 211, 21 StGB –

Gründe:

(abgekürzt gem. § 267 Abs. 4 StPO).

Die jetzt 2.. Jahre alte Angeklagte ist türkische Staatsangehörige und wurde als Tochter des Kleinbauern Abdullah und dessen Ehefrau Teslime, ge-

borene S., in Muf in der Türkei geboren. Sie ist das zweitälteste von ingesamt 5 Kindern ihrer Eltern. Ihre Kindheit verlebte sie im Elternhaus, wo sie als Mädchen, türkischen Verhältnissen entsprechend, streng erzogen wurde.

Im Jahre 1963 kam sie in die Dorfschule. Weil sie in der Landwirtschaft ihrer Eltern mitarbeiten mußte, besuchte sie die Schule nur selten und erreichte deshalb mehrmals nicht das Klassenziel. Im Jahre 1966 wurde sie aus der Schule entlassen. Sechs Jahre später lernte sie durch ihren Bruder Mehmet den 13 Jahre älteren Recep S. kennen, der bereits seit 1967 in Deutschland arbeitete, weil er sie heiraten wollte. Ohnre irgend etwas über das Vorleben dieses Mannes, der bereits zweimal geschieden und vorbestraft war, zu wissen, heiratete sie ihn im Einverständnis ihrer Familie während seines Urlaubs in der Türkei im Januar 1973. Während ihr Ehemann nach Deutschland zurückkehrte, blieb die Angeklagte zunächst bei ihren Schwiegereltern in der Türkei. Am 2. 5. 1974 folgte sie ihrem Mann, der zu dieser Zeit bei den H.-Werken in W. beschäftigt war, nach Deutschland. Am 3. 5. 1975 wurde ihr Sohn Murat geboren. Anfang 1976 arbeitete ihr Mann als Bergmann in O. auf der Zeche der F.-Schachtbau-GmbH. Deshalb zog die Familie nach H. Dort wurde am 12. 9. 1977 das Kind Meral geboren.

Die Ehe der Angeklagten, die bis zu ihrer Eheschließung nicht aufgeklärt war, verlief zunächst recht harmonisch. Sie liebte ihren Mann und war ihm, ihrer strengen Erziehung entsprechend, sehr ergeben. Sie erwies ihm stets die nach türkischer Sitte gebotene Ehrerbietung, obwohl er seine männliche Vormachtstellung skrupellos ausnutzte. Die Angeklagte durfte nicht allein das Haus verlassen und mußte sich stets zu seinen Diensten zur Verfügung halten. Ihr Mann verlangte von ihr oft mehrmals täglich Geschlechtsverkehr. Die Angeklagte kam seinem Verlangen stets nach, selbst wenn sie sich unpäßlich fühlte und beim Geschlechtsverkehr starke Schmerzen hatte. Mit der Zeit befriedigte der normale Geschlechtsverkehr ihren Ehemann jedoch nicht mehr, und er verlangte von ihr Mund- und Analverkehr, den er bereits in der Hochzeitsnacht vergeblich gewünscht hatte. Dies begründete er nunmehr damit, ihre Scheide sei nach der Geburt ihres zweiten Kindes zu weit geworden. Um sie sich gefügig zu machen, schlug sie ihr Ehemann in brutalster Weise, würgte sie und verletzte sie sogar einmal mit dem Messer. Da er ihr an Kräften weit überlegen war, konnte er einige Male mit ihr den Mundverkehr erzwingen. Dabei hielt er ihr die Nase zu, steckte ihr gewaltsam sein Glied in den Mund und zwang sie, das Sperma zu schlucken. Trotz der Mißhandlungen gelang es der Angeklagten stets, dem Analverkehr zu entgehen. Sie lebte jedoch in ständiger Furcht vor ihrem Ehemann, der ihr drohte, sie zu töten, falls sie sich nicht fügen würde. Um sie zu demütigen und weiterhin zum Analverkehr zu drängen, brachte er eine Frau mit in die Wohnung und führte im Beisein der Angeklagten mit dieser den Geschlechtsverkehr aus. Um seinem Verlangen Nachdruck zu verleihen, setzte er sie in eine Wanne mit kaltem Wasser und peitschte sie aus. Auch in der Folgezeit versuchte der Ehemann, mit ihr zum Analverkehr zu kommen. Als sie ihm deswegen einmal völlig verzweifelt sagte, daß sie lieber Selbstmord begehen wolle, als sich dazu herzugeben, lachte er sie aus und gab ihr, um festzustellen, ob sie ihre Drohung, sich töten zu wollen, ernst gemeint hatte, 15 Tabletten, vermutlich Tabletten gegen Magenschmerzen. Nachdem die Angeklagte diese eingenommen hatte, wurde sie bewußtlos und mußte auf Veranlassung ihres Ehemannes, der sie selbst in bewußtlosem Zustand noch entwürdigend behandelte, in das E.-Krankenhaus in E./L. gebracht werden. Dort wurde sie mehrere Tage stationär behandelt. Am 5. 6. 1977 wurde die Angeklagte, weil sie sich wieder dem Analverkehr widersetzt hatte, von ihrem Ehemann derart mißhandelt, daß sie im N. Hospital in E. bis zum 11. 6. 1977 behandelt werden mußte. Nach ihrer Entlassung aus dem Krankenhaus drohte ihr Ehemann, sie umzubringen, wenn sie seinen sexuellen Anforderungen, insbesondere denen nach Analverkehr, nicht nachkommen würde. Nun entschloß sich die Angeklagte, ihren Mann bei geeigneter Gelegenheit zu töten, wenn er sie

wieder quälen würde. Sie hatte Angst um ihr Le-
ben, zumal ihr Mann geschworen hatte, sie im
Falle einer erneuten Weigerung umzubringen. Ei-
nen anderen Ausweg als den, ihn zu töten, sah sie
nicht, da es ihr als Türkin nicht möglich schien,
andere Leute um Hilfe zu bitten. In dieser Zeit
lebte sie in einem Affektbündel, gekennzeichnet
durch Hoffnungslosigkeit, Angst, Verzweiflung,
Abscheu und ohnmächtiger Wut.

Am 12. 6. 1977 fuhr die Angeklagte mit ihrem
Ehemann und den Kindern von O. zu ihrem in E.,
Stalstr. 18, wohnenden Bruder Mehmet, wo sie ge-
gen 21.00 Uhr eintrafen. Nachdem sie eine Zeit-
lang beisammen gesessen und sich unterhalten
hatten, legten sich die Angeklagte, ihre Schwäge-
rin und die Kinder schlafen. Der Ehemann der An-
geklagten, Recep S., und ihr Bruder, Mehmet, ver-
ließen das Haus und kehrten erst in den Morgen-
stunden des 13. 6. 1977 zurück. Während Mehmet
das Schlafzimmer aufsuchte, ging Recep in die
Küche und legte sich zu seiner Frau und den Kin-
dern auf die Couch. Nun verlangte er wieder von
der Angeklagten den Analverkehr. Obgleich sie
sein Ansinnen wieder ablehnte, schlug er sie dies-
mal nicht, weil er befürchtete, daß sein Schwager
im Nebenzimmer darauf aufmerksam werden
könnte, und begnügte sich mit den normalen Ge-
schlechtsverkehr. Nachdem die Angeklagte und
ihr Ehemann zwei Stunden später aufgestanden
waren und gefrühstückt hatten, verließen sie mit

ihren Kindern und der Familie ihres Bruders die Wohnung und begaben sich zum Kanal, weil Recep dort schwimmen wollte. Am Kanal tranken die Männer mehrere Flaschen Bier. Gegen 18.00 Uhr kehrten sie zurück, setzten sich in den Garten hinter das Haus, wo Recep weiterhin dem Alkohol zusprach.

Nachdem der Bruder der Angeklagten um 21.30 Uhr zur Arbeit gegangen war, legte sich die Angeklagte mit ihrem Ehemann und den Kindern zum Schlafen in der Küche auf die Couch. Die Eheleute vollzogen dann den Geschlechtsverkehr. Danach bedrängte Recep die Angeklagte erneut, mit ihm den Analverkehr auszuführen. Als sie sich wiederum weigerte, sagte er ihr, daß er nunmehr entschlossen sei, sie dazu mit allen Mitteln zu zwingen, sie können keine Hilfe erwarten, da ihr Bruder fortgegangen sei und ihre Schwägerin ihr nicht helfen könne. Sie solle den Sohn in das Eheschlafzimmer ihrer Schwägerin bringen, damit er ihn nicht sehen könne. Nun beschloß die Angeklagte, die in ihrer Verzweiflung keinen anderen Ausweg sah, ihren Mann zu töten. Sie stand auf und brachte den dreijährigen Murat zu ihrer Schwägerin in das Schlafzimmer. Dabei hoffte sie, daß ihr Mann inzwischen einschlafen würde. Dann holte sie ein Beil aus dem Keller, schlich damit in die Küche zurück, sah, daß ihr Ehemann die Augen geschlossen hatte, woraus sie entnahm, daß er schlief, und versetzte in höchster Erregung ihrem

Ehemann mit aller Kraft drei Beilhiebe auf den Kopf. Sie ließ erst von ihm ab, als sie glaubte, ihn getötet zu haben. Danach lief sie laut weinend mit der kleinen Meral aus der Küche, legte das Kind vor die Schlafzimmertür und rief ihrer Schwägerin zu: »Nimm auch das Mädchen, ich habe Recep mit einem Beil erschlagen!« Danach betätigte sie völlig kopflos die Klingeln bei den übrigen Hausbewohnern und lief nach draußen. Sie erreichte den Zeugen Werner K., auf dessen Bitte hin der Zeuge Uhland K. fernmündlich die Polizei verständigte, die kurz darauf eintraf. Die Beamten nahmen die Angeklagte fest und veranlaßten die Einlieferung des lebensgefährlich verletzten Recep S., in dessen Schädel noch das Beil steckte, in das E.-Krankenhaus in E., wo er am 14. 6. 1977 um 1.40 Uhr starb. Die Angeklagte war nach der Tat zusammengebrochen. Sie weinte, schrie, war nicht ansprechbar und nicht in der Lage, allein den Streifenwagen zu besteigen.

Die am 14. 6. 1977 durchgeführte Obduktion ergab, daß der Tod von Recep S. infolge einer offenen Schädel- und Gehirnverletzung mit tiefreichender Hirnwunde eingetreten ist. Am Kopf fanden sich drei voneinander abgrenzbare Verletzungen. Eine Verletzung mit Impressionsbruch lag am Übergang vom Scheitelbein zum Hinterhauptbein links, eine zweite Verletzung hatte den Hirnschädel im linken Scheitel- und Schläfenbein eröffnet, eine dritte Verletzung das linke Auge zerstört und den

Gesichtsschädel links verletzt. Abwehrverletzungen wurden nicht festgestellt. Organische Erkrankungen hat die Obduktion nicht ergeben. Die am 16. 6. 1977 durchgeführte Alkoholbestimmung des Leichenblutes ergab eine Alkoholkonzentration von 0,66 ‰.

Die Angeklagte befindet sich seit ihrer vorläufigen Festnahme am 14. 6. 1977 aufgrund des Haftbefehls des Amtsgerichts H. vom 16. 5. 1977 – 10 Gs 132/77 – in Untersuchungshaft in der Justizvollzugsanstalt E.

Diese Feststellungen beruhen auf dem glaubhaften Geständnis der Angeklagten, bestätigt und ergänzt durch die uneidlichen Aussagen der Zeugen Herbert K., Werner K., Maria B., Detlef K., Uhland K., Barbara A., Hoirst B. und Gisela S. sowie den Gutachten der Sachverständigen Prof. Dr. A. und Dr. L. Die Lichtbildmappe wurde in Augenschein genommen und ihr Inhalt mit den Prozeßbeteiligten erörtert. Das Tatwerkzeug wurde in richterlichen Augenschein genommen.

Nach den getroffenen Feststellungen hat die Angeklagte sich des Mordes (§ 211 StGB) schuldig gemacht.

Sie hat ihren Ehemann Recep S. vorsätzlich getötet, weil sie sich über die tödlichen Folgen der Beilhiebe bewußt gewesen ist und sie auch wollte. Sie hat dabei unter den qualifizierenden Umständen des § 211 Abs. 2 StGB gehandelt. Denn sie hat die Arg- und Wehrlosigkeit ihres schlafenden Ehemannes zur Tat ausgenutzt und war sich der Arg- und Wehrlosigkeit des Angegriffenen auch bewußt. Sie hat damit »heimtückisch« im Sinne des § 211 Abs. 2 StGB gehandelt. Die Tat stellt sich infolge des Vertrauensbruches als besonderes verwerflich dar, so daß auch das Urteil des Bundesverfassungs- gerichts, NJW 19.., 1525, nicht entgegensteht, wo- nach das Mordmerkmal der Heimtücke weiter einengend auszulegen ist. Der Grund für die Straf- drohung bei der heimtückischen Tötung liegt nämlich in der besonderen Gefährlichkeit des Vorgehens des Täters, der das Opfer in einer hilf- losen Lage überrascht und es dadurch hindert, sich zu verteidigen oder sonst dem Angriff zu be- gegnen.

Die Angeklagte ist für ihr Tun verantwortlich. Die Voraussetzungen des § 20 StGB liegen nach den Überzeugungen, widerspruchsfreien und in sich schlüssigen Ausführungen des psychiatrischen Sachverständigen Dr. L., denen sich die Kammer in vollem Umfang anschließt, nicht vor. Danach ist die Angeklagte weder geisteskrank noch gei- stesschwach und weist auch sonst keine seeli- schen Störungen oder Abartigkeiten auf, denen ein besonderes Gewicht beizumessen wäre. Ein hirnorganisches Syndrom ist bei ihr ebenfalls aus- zuschließen, es liegen insoweit keinerlei konkrete Anzeichen dafür vor. Mit Rücksicht auf den erheb- lichen Affektstau, unter dem sie zum Zeitpunkt der Tat stand, ist mit dem Sachverständigen Dr. L.

jedoch davon auszugehen, daß ihr Einsichtsvermögen und ihre Steuerungsfähigkeit zur Tatzeit erheblich beeinträchtigt waren (§ 21 StGB).

Bei der Strafzumessung hat die Kammer zunächst zugunsten der Angeklagten von der Milderungsmöglichkeit nach § 49 Abs. 1 StGB Gebrauch gemacht, so daß ein Strafrahmen von 3 Jahren bis zu 15 Jahren zugrundezulegen war. Zugunsten der Angeklagten hat die Kammer ferner berücksichtigt, daß die Angeklagte in ihrem bisherigen Leben strafrechtlich nicht in Erscheinung getreten ist und ihr Fehlverhalten rückhaltlos und ohne jede Beschönigung eingestanden hat. Zu ihren Gunsten fiel schließlich ins Gewicht, daß ihre Ehe mit dem Getöteten einem Martyrium gleichkam. Die Erniedrigungen und Demütigungen der Angeklagten seitens ihres Mannes waren derart groß, daß aus ihrer Sicht nur sein Tod ihrer Qual ein Ende bereiten konnte. Dabei war sich die Schwurgerichtskammer bewußt, daß dieser Gesichtspunkt bereits maßgeblich zu der verminderten Schuldfähigkeit der Angeklagten geführt hat und in diesem Zusammenhang bereits strafmildernd berücksichtigt worden ist. Andererseits darf nicht außer acht gelassen werden, daß die Angeklagte keinerlei ernsthafte Anstrengungen unternommen hat, um auf anderen Wegen den Peinigungen ihres Ehemannes zu entgehen. Sie hätte keinesfalls dazu die Ermordung ihres Mannes als Mittel einsetzen dürfen.

Unter Berücksichtigung aller für und gegen die Angeklagte sprechenden Gesichtspunkte hat die Schwurgerichtskammer eine Freiheitsstrafe von 6 Jahren gegen die Angeklagte als unrechts-, schuld- und sühneangemessen verhängt.

Gründe, die erlittene Untersuchungshaft auf die verhängte Freiheitsstrafe nicht anzurechnen, bestehen nicht.

Die Kostenentscheidung beruht auf § 465 StPO. Einer gesonderten Entscheidung über die Nebenklagekosten bedurfte es nicht, da diese in den allgemeinen Verfahrenskosten enthalten sind.

Unterschrift   Unterschrift   Unterschrift

Widerspruchsbescheid

Der o. a. Widerspruch wird zurückgewiesen.
Etwaige der Widerspruchsführerin entstandene
Kosten fallen dieser zur Last.

Gründe:

Die Widerspruchsführerin ist türkische Staatsangehörige und reiste ausweislich der Ausländerakte
am 9.4.1974 im Rahmen der Familienzusammen-
führung zu ihrem Ehemann ins Bundesgebiet ein.
Daraufhin erhielt sie jeweils befristete Aufenthalt-
serlaubnisse, zuletzt vom Oberstadtdirektor E. am
23.3.1975 befristet bis zum 23.3.1976.

Durch Urteil des Landgerichtes S. vom 9.9.1977
wurde die Widerspruchsführerin wegen Mordes
zu einer Freiheitsstrafe von 6 Jahren rechtskräftig
verurteilt. Die Widerspruchsführerin sitzt zur Ver-
büßung ihrer Freiheitsstrafe in der Justizvollzugsanstalt K. ein. Als dem hierfür zuständigen Oberkreisdirektor Z. die o. a. Verurteilung bekannt
wurde, wies er die Widerspruchsführerin mit Verfügung vom 7.9.19.. auf Dauer aus dem Gebiet
der Bundesrepublik aus. Gleichzeitig ordnete er
die Abschiebung zum Zeitpunkt der Haftentlas-
sung an.

Hiergegen richtet sich der form- und fristgerecht
erhobene Widerspruch, auf dessen Inhalt verwie-
sen wird.

Der Widerspruch ist zulässig, jedoch nicht begründet.

Die Widerspruchsführerin ist Ausländerin im Sinne des § 1 des Ausländergesetzes (AuslG) vom 28.4.1965 (BGBl. I, S.353) und unterliegt somit den Bestimmungen dieses Gesetzes. Gemäß § 10 Abs. 1 Ziff. 2 AuslG kann ein Ausländer ausgewiesen werden, wenn er wegen einer Straftat verurteilt wurde. Diese Voraussetzung ist vorliegend erfüllt. Die Widerspruchsführerin wurde wegen des genannten Verbrechens rechtskräftig verurteilt. Bei der Tat, die dieser Verurteilung zugrunde lag, handelt es sich um eine Straftat im Sinne des § 10 Abs. 1 Ziff. 2 AuslG.

Die daraufhin vom Oberkreisdirektor E. getroffene Entscheidung, die Widerspruchsführerin auf Dauer aus der Bundesrepublik Deutschland auszuweisen, ist nicht ermessensfehlerhaft. Durch ihr Verhalten hat sie gezeigt, daß sie weder willens noch in der Lage ist, sich entsprechend der herrschenden Rechtsordnung ihres Gastlandes zu verhalten. Dadurch hat sie Bestimmungen verletzt, die unmittelbar dem Schutz jedes einzelnen dienen und wesentlichster Bestandteil der inneren Sicherheit dieses Staates sind. Mit dem Interesse des Staates und der Allgemeinheit an der Aufrechterhaltung der öffentlichen Sicherheit und Ordnung ist es nicht vereinbar, wenn sich Ausländer, die, wie die Widerspruchsführerin, erheblich gegen die Rechtsordnung verstoßen haben, im Bun-

desgebiet aufhalten dürfen. Ein weiterer Aufenthalt der Widerspruchsführerein in der Bundesrepublik Deutschland stellt eine Gefahr für die öffentliche Sicherheit und Ordnung dar. Dieser von der Widerspruchsführerin ausgehenden Gefahr für die öffentliche Sicherheit und Ordnung kann nur mit ihrer Ausweisung und dauernden Fernhaltung aus dem Bundesgebiet wirksam, sowie zweck- und verhältnismäßig begegnet werden. Angesichts der Schwere der Tat bedarf dies keiner weiteren Ausführungen. Selbst die zur Tat geführten Umstände können keine andere Beurteilung zulassen. Im übrigen hat das Strafgericht dies bereits zugunsten der Widerspruchsführerin hinreichend gewürdigt. Darüber hinaus gestattet das Ausländergesetz die Ausweisung eines bestraften Ausländers nicht nur, wenn die Prognose für sein zukünftiges Verhalten in strafrechtlicher Hinsicht ungünstig ist. Dies folgt insbesondere daraus, daß die Ausweisung eine Maßnahme auf dem Gebiet des Polizei- und Ordnungsrechtes ist. Sie hat nicht den Zweck, ein bestimmtes menschliches Verhalten zu ahnden, sondern einer zukünftigen Störung der öffentlichen Sicherheit und Ordnung oder einer Beeinträchtigung sonstiger erheblicher Belange der Bundesrepublik Deutschland vorzubeugen. Letzteres folgt aus dem Zweck der Ausweisungstatbestände des § 10 Abs. 1 AuslG, welche die im Geltungsbereich des Ausländergesetzes lebenden Ausländer dazu zu veranlassen, keine Belange der Bundesre-

publik Deutschland zu beeinträchtigen. Die Ausweisung der Widerspruchsführerin kann daher nicht nur mit spezial-, sondern auch mit generalpräventiven Erwägungen begründet werden. Mit einer auch unter generalpräventiven Gesichtspunkten verfügten Ausweisung wird nämlich erreicht, daß andere im Geltungsbereich des Ausländergesetzes lebende Ausländer veranlaßt werden, keine Belange der Bundesrepublik Deutschland zu beeinträchtigen und sich während ihres Aufenthaltes im Bundesgebiet ordnungsgemäß zu führen. Die Erfahrung hat gezeigt, daß eine in bestimmten Fällen verfügte Ausweisung anderen Ausländern als eindringliche Warnung dient und so ein wirksames Mittel der Ausländerbehörden zur Aufrechterhaltung der öffentlichen Sicherheit und Ordnung darstellt. Dieses Ziel wird auch mit der Ausweisung der Widerspruchsführerin verfolgt. Die Ausweisung trifft die Widerspruchsführerin auch nicht unverhältnismäßig hart. Die möglicherweise damit verbundenen persönlichen und wirtschaftlichen Schwierigkeiten können keine andere Entscheidung rechtfertigen. Die Widerspruchsführerin hat den Verlust ihrer bisherigen wirtschaftlichen Existenz in der Bundesrepublik Deutschland in Kauf zu nehmen. Dies ist die unvermeidliche Folge einer Ausweisung. Wer sich in einem Land, dessen Staatsangehörigkeit er nicht besitzt, wirtschaftlich betätigt, geht stets das Risiko ein, beim Vorliegen eines der in diesem

Lande geltenden Ausweisungstatbestände seine wirtschaftliche Existenz zu verlieren. Wenn ein Ausländer keinen Anlaß zur Ausweisung geben will, muß er sich verhalten, daß er keinen Anlaß zur Ausweisung gibt.

Fünf Jahre später ...

»Du bist ja auch schön naiv«, sagte die Jugoslawin, nachdem sie lange in die Kaffeetasse geschaut hatte und ihre Miene immer grimmiger wurde.

Du kannst doch selber hineinschauen und wirst deinen Galgen selber erkennen, ich sage dir doch; diese kurzhaarige dunkle Frau ..., die erzählt dir das Blaue vom Himmel herunter. Ja, sie wird kommen, sie wird aber nicht vor Sonnenuntergang kommen, wird dich mit frohen und hoffnungsversprechenden Worten in ihr Auto packen, dann ab nach Istanbul. Eine Stunde nach Sonnenuntergang wird dich ein Flugzeug in Begleitung von zwei Beamten wegbringen, ihr werdet der Sonne entgegenfliegen, das alleine ist verflucht, den Rest kannst du dir selber denken.« Sie hörte abrupt auf zu sprechen und sank in die Wirklichkeit ihrer eigenen Worte, als wäre sie selbst diejenige, der dies alles bevorstand. Frauen, die in der Runde saßen und Jahre mit mir um meine Freilassung gebangt hatten, verstummten. Ich selbst war nicht in der Lage, einen klaren Gedanken zu fassen, wollte aufstehen, um meine Zelle aufzusuchen. Es ging nicht, ich war von einer Lähmung befallen, ich sank wieder zwischen meine Schultern, mein Kopf hing in meinen Händen, sank immer tiefer. Doch etwas geschah vor der totalen Ohnmacht: Meine Brust spaltete sich plötzlich wie ein seit Jahrhunderten vertrocknetes Flußbett, und alle Qual strömte wie eine Flut aus mir heraus in einem einzigen Urschrei, brach sich an den Mauern, hallte wieder. In

Wellen ging der Schrei von mir, das Gefängnisgebäude stürzte ein, die Erde stürzte ein, ich wurde überschüttet. Doch mein Bewußtsein hatte mich nicht ganz verlassen, ich versuchte mich von den Trümmern freizuschütteln.

Ein wenig Zeit hatte ich noch, noch war die Zeit zum Ersticken nicht gekommen.

Die letzte Nacht in meiner Zelle war ich wach. Dennoch, bei allem Vertrauen in den Aberglauben war ein Kaffeesatz eben ein Kaffeesatz, und ein Kaffeesatz sagte auch soviel Gutes voraus, und es geschah doch nicht alles so, wie es vorhergesagt wurde. Außerdem hatte man unzählige Male auch mein Schicksal aus dem Kaffeesatz gelesen und soviel Gutes, Hoffnungsvolles vorausgesagt, bevor das alles um mich herum geschah; ja, wo waren denn all jene Prophezeiungen geblieben? Und wenn es doch wahr werden sollte, daß man mich abschiebt?

Die Nacht war die Hölle, aber sie war vergangen; übriggeblieben waren die Zigarettenkippen und meine wachsende Hoffnungslosigkeit.

Ich hatte bereits gepackt, die meisten Sachen gehörten nicht einmal mir selbst.

»Es bringt dir Glück«, sagten sie, auf ihre eigene baldige Entlassung hoffend, und brachten mir ihre Lieblingsstücke zum Abschied, und zwar schon seit Tagen. Die Abschiedsstücke häuften sich auf meinem schmalen Bett: Kleider, Pullis, Nachthemden, Schlüpfer, Taschentücher ... Einen Koffer habe ich nie gehabt, eine der Frauen brachte mir einen, dessen Farbe undefinierbar verblaßt und dessen Schloß kaputt war. Später war er außerdem so überfüllt, daß der Inhalt jedes Schloß gesprengt hätte. Wir schnürten ihn fest, und dann war da noch ein Karton übriggeblieben von einer Warensendung eines Glücklichmacher Warenhauses, in der Größe eines Kindersarges. Dies war meine Rettung. Den Rest stopften wir in ihn hinein und klebten ihn zu. Das alles war gestern gewesen. Packen mußten wir, gehen mußte ich, denn man wollte mich nicht einmal in einem deutschen Gefängnis haben. Und wie ich mich an diese Wände, an den Geruch, an alles gewöhnt hatte, was mich umgab.

Ich verbrachte die Nacht zwischen dem Koffer und dem Kindersarg aus Pappe, saß lange, legte mich auf den Koffer, meine Füße hingen herunter. Einmal dachte ich daran, den Kindersarg zu öffnen und hineinzukriechen, um zu sehen, ob ich reinpassen würde. Ich rauchte, setzte mich wieder auf das Bett, dann stand ich auf und probierte aus, ob ich den Koffer und diesen Karton alleine tragen könnte, für den Fall, daß ich freigelassen würde, niemand mich abholen kam und ich, den Karton wie einen Heuballen oder einen Wasserkrug auf der Schulter, den Koffer in der rechten Hand (auf meiner Rechten war ich schon immer stärker), durch Deutschlands Straßen laufen würde, bis ich eine Bleibe fand. Ich probierte es aus; ich schaffte es. Brauchte ich feste Schuhe, war es naß draußen?

Das lange Gehen mußte ich erst lernen, hier hatte ich mich an kleine Schritte gewöhnt, springen würde ich gerne, hüpfen, rennen, oder würde ich mein weiteres Leben in Geishaschritten vollenden? Ich ging an das Fenster. Es war ein sonniger Julimorgen, ein Vogel sauste an meiner Nasenspitze vorbei, die Rosen blühten im Hof wie immer, den Duft konnte ich merklich wahrnehmen, sonst bewegte sich nichts draußen. In ein paar Minuten würde das Frühstück serviert werden, die Räder des Speisewagens würden das allerletzte Mal heute auch vor meiner Zellentüre rollen. Ich setzte mich hin, meine Hände fielen mir auf, die Finger der rechten Hand, die gelben Stellen an meinem Zeige- und dem Mittelfinger, da genau, nein nicht genau in der Mitte, eher in der ersten Hälfte, ein bißchen versteckt, nach innen, gelb: Das läßt sich nicht mehr wegreiben, es wird bleiben. Wann hatte ich meine erste Zigarette angezündet, wann angefangen selber zu drehen, wieviele waren es gewesen, vor allem wie wenige aus Frohmut, wieviele aus Trauer? Es hatte wenig Sinn, jetzt zusammenzurechnen, wieviele Kippen in ein und demselben Aschenbecher zerdrückt worden waren. Sehr lange konnte es nicht her sein, denn draußen hatte ich nicht geraucht, wozu sollte ich rauchen? Außerdem, Frauen wie ich rauchen nicht. Die gelben Flecken an meinen Fingern jedoch sind meine, sie lassen sich nicht mehr wegwischen, sie werden mit mir abgeschoben.

Morgen früh ab sechs Uhr werde ich frei sein. Das ist so üblich. Ab sechs Uhr würde ich meine Habseligkeiten aufschultern, zum Pförtner gehen können. Mein Entlassungsschein würde zum Abholen bereit liegen, dort in der Pförtnerloge. Dann wäre ich frei. Das konnte ich tun. Niemand konnte es verhindern. Das ist die eine Seite, die andere ist, was die Jugoslawin im Kaffeesatz las. Ich hatte S. versprochen, auf sie zu warten, sie versprach mir zu kommen, alles Weitere draußen sei bereits geregelt, sagte sie mir vor zwei Tagen am Telefon. Ihre Stimme und die Art, wie sie die Worte aneinanderreihte, klang nicht im geringsten so, als müsse man mißtrauisch werden. Sie sicherte mir zu, daß ich erst einmal bei ihr wohnen könne. »Hab Vertrauen zu mir, Suna, du wirst sehen, alles wird gut!«

All die Jahre hat sie mich doch nie im Stich gelassen. Angelos, der gute Grieche, und sie und dann dieser türkische Anwalt. Die drei haben sich draußen ihre Fersen wund gelaufen und geschrieben und gesagt, man solle mich nicht abschieben, und die Schwester A. überhaupt ist mein Schutzengel. Warum sollten sie mich jetzt denn im Stich lassen, jetzt, wo ich sie am meisten brauche? Und die S. rief am Telefon voller Freude: »Suna, du bleibst hier, verstehst du, man gab die Erlaubnis, daß du hierbleibst, du wirst nicht abgeschoben, verstehst du, Suna, wir werden die Kinder holen, sobald es möglich ist, wenn es sein muß mit Polizeigewalt! Suna, freue dich Mädchen, weine nicht mehr!« sagte sie; und meinte dann doch: »Von mir aus kannst du weinen, dann aber aus Freude, hast du gehört, Suna? Ich komme dich holen.« Wenn ich bloß die Kraft hätte, mehr an sie zu glauben als an meine eigene Angst. Sie hat nicht gesagt, wann sie kommt, ich habe vergessen, ihr zu sagen, sie solle gleich um sechs Uhr morgens, gleich in der Frühe da sein. Ich werde warten. Ich werde warten. Ich werde warten.

Meine Kehle brennt, den Kaffee schmecke ich nicht mehr, nur ein Klumpen aus Nikotin in der Kehle, durch nichts mehr auflösbar. Die anderen sind bereits zur Arbeit, es scheint auch niemand krank zu sein, kein Blatt regt sich. Sie machen Kalender in der Druckerei, dann hängen sie sie Jahr für Jahr an die Wand ihrer Zelle, Tag für Tag reißen sie die Blätter ab und warten, hoffen; das habe ich auch gemacht, nur an meiner Wand hing nie ein Kalender. Dann habe ich die Pfennige gezählt, die ich verdiente, gespart habe ich auch so um die tausend, auch die großen Seen entstehen aus einzelnen Regentropfen.

Sie muß kommen, selbst um mir zu sagen, daß sie mich »leider« zum Flughafen fahren müsse! Ich meine, wieso sollte sie lügen? Um mir zwei Tage in meinem ganzen Leben Freude zu schenken, um mich gleich danach in die Hölle zu schicken? S. log nie, verschwieg vielleicht manches, um mich nicht noch mehr zu betrüben, aber gelogen hat sie nie. Außerdem, wie oft hat sie mir ihre eigenen Sorgen anvertraut, wie oft hat sie ihre trauernden Augenränder nach schlaflosen Nächten nicht verbergen können? Wenn ich sie fragte, warum sie heute so schweigsam sei, ob dies mit mir zu tun hätte, da sagte sie immer wieder: »Ach Suna, du hast deine Mauern, ich meine« und schwieg dann wieder. Ob meine Kinder zur Stunde wach sind? Murat geht zur Schule, vielleicht hat er Ferien. Meral wird bei ihm sein. Kinderduft in den Betten. Augenreiben. Meral konnte noch nicht »Mama« rufen. Murat schon.

Es ist bereits Mittag. Irgendein Kohleduft breitet sich durch die Türritzen aus und dann der nach Salzkartoffeln.

Sie ist noch nicht da. Gleich kommen sie, um ihre Späße mit mir zu treiben. »Haben wir es dir nicht gesagt?« »Na, Mädchen, du bist ja immer noch da!« Ja, ich bin immer noch da. Ich werde den Kopf nicht heben, ich werde nicht antworten. Wo steckt sie denn? So oder so muß sie kommen, ich kann nicht mehr. Bis achtzehn Uhr abends werden sie mich vor die Türe setzen, das weiß sie doch. »Wenn was dazwischenkommt, rufe ich an«, hatte sie auch noch gesagt. Vielleicht ist etwas dazwischengekommen und niemand sagt mir Bescheid, vielleicht sollte ich bei ihr anrufen. Ich warte noch ein bißchen, daraus können Stunden werden, am besten gleich anrufen. Die Beamtin K. hat auch nichts für mich gehabt beim Essenverteilen. Heute

105

Morgen bei der Post war auch nichts für mich. Die Tür!

Die Sonne senkte sich bereit über die Äste und Büsche im Hof, ich saß auf einer Bank zwischen meinen Sachen und wartete. Mein Herz raste zwischen zwei Polen hin und her; dem einen voll Hoffnung, daß alles gut wird, und dem anderen.

S. hatte am frühen Nachmittag angerufen, sie sei aus Stuttgart unterwegs, ich solle auf sie warten, es könne Abend werden. Danach war es nicht mehr so schlimm zu warten. Und ich hatte mir vorgenommen, nicht daran zu denken, was danach passieren würde. Der Gedanke, der einzige überhaupt, hieß nun, bis sie kam: Raus aus diesen Mauern, Höfen, Gittern und Toren.

In einem grünen Auto stand sie hinter dem Haupttor und winkte; da standen noch ein Mann und eine andere Frau. Sie sahen sehr freundlich aus. Der Pförtner händigte mir meine Ersparnisse aus, mit einem Beleg darüber, auf den Pfennig genau. Dann bekam ich den Entlassungsschein, das Tor hinter mir schloß sich elektrisch. Ich warf meinen Kopf auf S.' Schulter und weinte, warum, weiß ich nicht; sie ihrerseits versuchte krampfhaft, mit ihren winzigen Händen meinen Kopf von ihrer Schulter zu heben, um mir zu zeigen, wie blau der Himmel war, und rief unentwegt: »Suna, Suna, hör auf zu weinen, du bist doch frei. Mädchen, du bist frei, frei …« Der längliche Karton und der Koffer paßten mit Mühe in das winzige Auto, ich quetschte mich auf den Rücksitz, der Mann setzte sich auf den Beifahrersitz und hatte einen wunderschönen Schnurrbart.

Sie alle waren fröhlich gestimmt: »Los Kinder, laßt uns singen!« sagte S. und stimmte ein Lied an. Es war kein fröhliches Lied. Mein Schmerz setzte von neuem ein, ich weinte wieder, wer weiß, warum. Lange fuhren wir zu ihr. S. erklärte mir, sie habe einen Tisch in einem griechischen Restaurant bestellt. Der gute Grieche und seine Frau hätten die Idee gehabt, diesen Tag zu feiern. »Wir alle haben lange auf diesen Tag gehofft und gewartet, Suna", sagte S., und ich wußte, es stimmte. Weil der Grieche und seine Frau schon lange in dem Restaurant auf uns warteten, blieben wir nicht lange in ihrer Wohnung. Wir stellten lediglich meine Sachen ab, ich wusch mir die Hände und das Gesicht. Als wir die Treppe hinuntergingen, stand eine alte kleine Frau vor ihrer Tür und blickt uns entgegen; sie hatte Mausaugen. »Mach Dir nichts draus, Suna«, sagte S. Sie ist meine Wirtin, nach jedem Nachtbesuch, den ich habe, kündigt sie mir, und ich lege dann Widerspruch ein und amüsiere mich, weil sie mir auch dieses Mal verzeiht und mit dem nächsten Mal droht.

Das Restaurant schien leer. An einem Tisch saßen zwei Leute; ein Kellner ging herum, als wir eintraten. Bald erkannte ich dann auch Angelos, der seinerseits aufstand und mit offenen Armen auf mich zukam. Ja, es sah alles feierlich aus, alles deutete darauf hin, daß man hier und jetzt meine Freilassung feiern wollte, diesen lang ersehnten Tag, dieses einmalige Ereignis; doch in meinem Hinterkopf lauerte der Gedanke »eine Stunde nach Sonnenuntergang wird mich ein Flugzeug in Begleitung von zwei Beamten in den Himmel entführen ...«

Oliven waren auf dem Tisch, gerollte Weinblätter, Schafskäse, eingelegte Pepperoni. Das warme Fladenbrot duftete ... ich wollte Coca Cola trinken, das war mir am vetrautesten, sie selbst bestellten sich Wein und Schnaps. S. erzählte, wie sie mich abgeholt, wie wir die Sachen in den Koffer gequetscht hatten. Alle lachten. Ich bückte mich alle paar Minuten hinüber zu S., um auf die Uhr zu schauen. Die Zeit verging sehr langsam, doch es dauerte nicht mehr lange. Sie alle hatten bereits auf meine Freilassung angestoßen, knabberten hier und da von den Vorspeisen und redeten kreuz und quer über den Tisch miteinander. Alle freuten sich und wunderten sich, daß ich mich nicht freute so wie sie, zeigten jedoch, daß sie für meinen seelischen Zustand Verständnis hatten und ließen mich in Ruhe. S. redete mir zu, doch jetzt ein bißchen von diesen leckeren Sachen zu probieren. Mir war nicht danach zumute, irgendetwas zu mir zu nehmen, bevor das Flugzeug abgeflogen war.

»Es ist weg!« schrie ich plötzlich. »Ohne mich ist es abgeflogen.« Ich hob mein Colaglas, stieß an und erzählte ihnen dann erst die Geschichte mit dem Kaffeesatz. Ich merkte nicht, ob fremde Leute mein Schreien gehört hatten, es wäre mir auch egal gewesen. S. übersetzte Herrn Angelos und seiner Frau, warum ich bis jetzt nichts gegessen, nichts getrunken hatte. Mein Mißtrauen nahmen sie doch persönlich, waren etwas betrübt, faßten sich aber wieder, und es wurde ein netter Abend.

Die erste Nacht seit langem ... bei S. zu Hause. An Schlaf war nicht zu denken. Ich rauchte; da keine Tür unsere Zimmer trennte, wachte S. vom kalten Nikotingeruch auf. Mehrmals. Beim letzten Mal mahnte sie mich, ich solle aufhören zu rauchen und versuchen zu schlafen: »Du mußt dich zusammenreißen, Suna, du weißt doch, daß wir morgen früh aufstehen müssen, es ist allerhand zu tun; vor dem Wochenende will ich deine Papiere haben. Rennen werden wir von einer Behörde zur anderen, du mußt mir helfen; und dann willst du noch, daß wir die Kinder holen, und und und ... Dann wollen wir noch wegfahren, eine lange Fahrt steht mir bevor, wenn wir alles bis morgen erreichen wollen, gib dir doch bitte auch ein bißchen Mühe. Nun leg dich hin! Komm, ich will nicht noch mal aufstehen, laß mich noch zwei Stunden schlafen, bitte!« Ich fror in meinem dünnen Sommernachthemd, es kam mir plötzlich vor, als sei es nicht mehr Juli sondern tiefer Winter. Ich legte mich hin und wartete, bis es Tag wurde.

Am nächsten Morgen gaben mir die Türken einen Ausweis. Die Deutschen stempelten etwas hinein. Ich erhielt erst einmal drei Monate Duldung. S. klärte mich auf, jedes kleinste Delikt, jetzt, in der Zeit der Duldung, sei ein Grund zur Abschiebung. Man würde mich also dulden und beobachten. Nun gib acht, Suna! Und meine Kinder?

Seit dem Ereignis vor vier Jahren wohnten die Kinder bei meinem Bruder. Nur einmal hatte ich sie in dieser Zeit sehen dürfen; wir hatten Kuchen gegessen, Cola getrunken. Das Kleid, das ich für meine Tochter gestrickt hatte, paßte ihr nicht, die Kinder schienen sich zu langweilen. Je mehr ich drängte, sie zu streicheln oder an mich zu ziehen, desto stärker liefen sie mir weg.

Eigentlich lief alles wie am Schnürchen. Es war dunkel geworden. Ich hätte am liebsten diese Nacht mit meinen Kindern verbracht, doch ich wagte es nicht, S. darum zu bitten, noch heute diese Strapazen auf sich zu nehmen. Sie war erschöpft vom Hin- und Herfahren, Treppensteigen, vom Warten in den Fluren der Behörden, vom Fluchen und Schimpfen, von der Parkplatzsuche, dem Ausfindigmachen von Adressen, dem Überqueren von Ampeln. Dennoch bemühte sie sich, fröhlich zu sein, doch sie war sichtlich erschöpft. Ich übte mich in Geduld. Morgen, schon morgen würde ich meine Kinder bei mir haben. Dem würde nichts im Wege stehen. So stand es geschrieben; sobald ich in Freiheit wäre, fiel die Fürsorge meiner Kinder wieder mir zu. »Notfalls mit Polizeigewalt«,

sagte S., »falls dein Bruder sich widersetzen sollte.«
Wir verbrachten den Abend bei ihr zu Hause, erzählten uns, plauderten lange; sie hatte viele Bücher, aber keinen Fernseher. Sie gab mir einiges zum Anziehen; ich probierte es, aber es paßte mir nicht. Ich war groß, sie war klein. Wir sprachen wieder, lachten und schwiegen; dann weinte ich; sie weinte nicht, sie schwieg; so teilten wir uns die Nacht. Ich weiß, daß ich einschlief.

Den Klumpen in der Magengegend, später im Hals fühlend, schlief ich. Je tiefer er saß, desto schlimmer war es, das wußte ich. S. war arbeitslos, arbeitete mit Büchern, wie sie es nannte. Ihre Welt war bescheiden. Ihr einziges Kind – bei seiner Erwähnung wurden ihre Augen feucht – lebte nicht bei ihr. Oft überfiel sie Wehmut; aber Heimweh, wie ich, hatte sie ihren Worten nach nicht.

Am nächsten Tag, es war früher Nachmittag, machten wir uns auf dem Weg zu jenem unglückseligen Ort, wo mein Bruder noch immer mit seinen unzähligen Kindern und seiner Frau lebte. Unter Tage arbeitete er in der unmittelbaren Nachbarschaft meiner Vergangenheit. Ich wunderte mich, daß ich noch ziemlich gut jeden Winkel und jeden Baum in unserem Viertel in Erinnerung hatte und S. beschreiben konnte. Wir waren früher angekommen als geplant und parkten den Wagen im Schatten eines Kastanienbaums, circa fünfhundert Meter von dem Haus meines Bruders entfernt. In der Nähe spielten Kinder. Meine eigenen konnte ich jedoch nicht entdecken, und, aufgeregt im Auto sitzend, legten wir uns genau unsere Taktik zurecht, gleich konnte es losgehen.

Ich blieb im Auto und wartete, malte mir die schrecklichsten Szenen aus, während S. nahezu zwei Stunden – im Auto gab es eine Digitaluhr – mit meinem Bruder verhandelte, um die Kinder zu bekommen. Später erzählte sie mir, was passiert war. Meine Schwägerin hatte die Tür geöffnet. Als S. ihr sagte, sie wolle ihnen Mann sprechen, hatte sie zurückgefragt, ob S. von der Behörde käme und bitteschön, in welcher Angelegenheit. Als S. meinen Namen erwähnte, fing sie gleich an, zu heulen. Ein Schar von Kindern hätte vor dem Videogerät gesessen und irgendeinen Heimatfilm angeschaut, ohne S.' Ankunft zu bemerken. S. wurde gebeten, Platz zu nehmen und fragte dann auch gleich, welche von den vielen Kindern denn mir gehörten. Meine Schwägerin deutete mit den Augen auf den Jungen da und das Mädchen dort. Bald kam dann auch mein Bruder, der nach Feierabend geduscht hatte, mit nassen Haaren, leicht vergrämt. Meine Schwägerin erklärte kurz die Lage ihrem Mann, und die Spannung wuchs. Er weigerte sich kurz und kühl, die Kinder herauszurücken. »Wieso überhaupt, wo ist sie denn, warum kommt sie nicht selbst, um ihre Kinder zu holen, ich habe die Kinder weder in der Not noch im Überfluß von meinen eigenen unterschieden, nun sind wir Vater und Mutter für sie, keine Kraft kann mir diese Kin-

der wegnehmen. Das hätte sie sich vorher überlegen sollen. Schande hat sie über uns gebracht,
verrecken soll sie, seien Sie nicht bös, gnädige
Frau, nun aber gehen Sie!« S. war nicht gekommen,
um schon wieder zu gehen; sie wollte die Kinder,
legte aber einen etwas weicheren Ton an und
redete mit Engelszungen, appellierte an sein Herz
und Gewissen, versuchte, Mitleid zu erwecken,
goß tausend Wasser aus tausend Quellen, um sein
Herz zu erweichen, erzählte schließlich von meiner jahrelang aufgestauten Sehnsucht nach meinen
Kindern, von meinen Tränen, den schlaflosen
Nächten . Siehe da, er wurde in der Tat mensch-
licher, die Runzeln auf seiner Stirn glätteten sich.
Er schien interessiert, was aus mir werden würde,
wollte, daß sich S. auswies und wissen, ob sie
tatsächlich in meinem Auftrag ihn aufgesucht
hatte. S. zeigte den Wisch, den mir die türkischen
Behörden ausgestellt hatten, und dazu den Entlassungsschein. Außerdem legte sie ihre Visitenkarte darauf, auf der stand, daß sie wissenschaftliche Mitarbeiterin an einer Hochschule war. Es
stimmte zwar, daß sie es einmal war, aber die
Hochschule hatte sich aufgelöst. Sie war arbeitslos geworden, die Angaben auf der Visitenkarte
stimmten also nicht mehr, aber sie machten auf
meinen Bruder großen Eindruck. »Weib!" rief er seiner Frau zu: »Hol die Klamotten der Kinder, putz
ihnen die Nase und kämm sie, wir bringen sie zum
Auto! Der Koffer wird schwer sein, da sammelt

sich ja allerhand Zeug in einigen Jahren.« S. hatte angegeben, ich sei in einer anderen Stadt bei Freunden untergebracht. Dabei saß ich im Auto. Sie versicherte meinem Bruder, der Koffer sei ganz und gar nicht schwer. Die Kinder seien ja lieb, sie würde es schon alleine schaffen, er brauche sich nicht zu bemühen, er sei ja gerade von der Arbeit gekommen und erschöpft, sie hätte ihnen schon genug Umstände bereitet und sei so sehr dankbar, daß er ... Ich sah sie von der Ecke in die Hauptstraße einbiegen, begleitet von einer Schar anderer Kinder, die auf der Straße spielten und die, als sie die Aufbruchstimmung erkannten und merkten, daß meine Kinder fortgingen, sich der Kolonne anschlossen, um sich zu verabschieden. Es waren an die dreißig. Ich sah meinen Bruder und meine Schwägerin. Anscheinend hatte S. es doch nicht geschafft, sie abzuhängen. Sie kamen näher, immer näher. Ich sprang aus dem Wagen, stellte mich auf die Straße, in Angst und Panik. Vollkommen außer mir schrie ich in die sich nähernde Menge: »Bleibt stehen, kommt nicht näher, sonst laufe ich weg!« Mitten in der Straße trennte uns eine Eisenbahnschranke, die kaputt war und geschlossen. Die Menschenmenge blieb davor stehen; einige Sekunden später bückten sich S., meine Kinder und die Schwägerin und krochen unter der Schranke hindurch. Mein Bruder ließ sich anscheinend doch von S. überreden, stehenzubleiben. So blieb ich auch in der Nähe des Autos, stets bereit, wegzulaufen, falls sich mein Bruder in meine Richtung bewegen würde, doch er blieb stehen. Meine Schwägerin, am Auto angekommen, warf sich regelrecht an meine Brust und heulte. Ich versuchte, ihren schweren Körper von mir zu schieben. Dies bemerkte S. und rief mich zur Vernunft. Sie bat mich, die Hand der Schwägerin zu küssen, ich tat es. Die Kinder saßen im Auto. Sie waren widerwillig gekommen und wollten eigentlich nicht mit. S. bedankte sich umständlich bei der Schwägerin und versicherte, daß, sobald sich meine Lage gebessert habe, mein Bruder und seine Familie zu uns zu Besuch kommen könne, knallte die Türen zu, wendete und gab Gas.

Jetzt, jetzt hatte ich alles, was ich wollte, nichts und niemand konnte mir das, was ich erkämpft hatte, jemals wieder entreißen. Das wollte auch niemand. Während der Fahrt maulten meine Kinder auf dem Rücksitz unentwegt und wollten zurück, ich versuchte, sie vom Beifahrersitz aus anzufassen, reckte mich nach hinten und streichelte sie. Sie wehrten sich gegen meine Zärtlichkeiten und meinten, wie aus einem Mund, ich solle doch wieder ins Loch – so nannten sie das Gefängnis – gehen, schließlich habe ich ihren Vater getötet; ich sei nicht ihre Mutter, maulten sie weiter. Ich schwor unter Tränen, ich sei schuldlos und nun frei; wir würden ein glückliches Leben führen, ich würde mein Leben hergeben, wenn sie einmal »Mama« zu mir sagen würden und weinte. Sie widersprachen und meinten, ihr Zuhause sei bei Onkel und Tante – sie meinten meinen Bruder und seine Frau – ihre wahren Eltern seien sie. Sie hätten ihnen alles gekauft, wollten auch noch für Murat ein Fahrrad kaufen und für Meral eine Puppe, die sprechen, singen und laufen könne. Für mich waren die wichtigsten Zauberworte gefallen: Fahrrad und Puppe. Ich versprach, ihnen alles zu kaufen, was sie wollten, gleich morgen früh, sobald die Geschäfte öffneten, wenn sie bei mir blieben und nicht sagten, ich solle wieder ins Loch gehen, und gab ihnen Keks, Schokolade und Obst. Wahrscheinlich von der Fahrt erschöpft, schliefen sie bald, aneinandergekuschelt, auf dem Rücksitz ein.

Ich deckte sie mit meiner Jacke zu und schluchzte leise weiter. Im Auto war es still, S. murmelte ein trauriges Lied. Wir überquerten Täler und Flüsse im Halbdunkel, kamen zu einem Berg, wo ein kleiner enger Weg uns hinauf zum Eingangstor des Klosters führte, in dem Angelos der gute Grieche, und Schwester A. für uns vier für einige Wochen eine Unterkunft besorgt hatten. Die Schwestern und Nonnen nahmen meine schlafenden Kinder in die Arme und legten sie zärtlich in ihre Betten. Das Abendmahl wartete auf uns in einem separaten Raum. Wir richteten uns ein. S. wünschte mir eine gute Nacht. Appetit hatten wir nicht, erschöpft von alledem sanken wir in die Betten; rechts und links von mir schliefen meine Kinder. Lange schaute ich sie an, zärtlich und leise berührte ich ihre Hände, ihre Haare, ihre Gesichter, die kleinen Füße, ihre Wimpern. Kaum hatte ich sie geboren, hatte man sie mir weggenommen.

Aber sie waren meine Kinder; keine Mutter auf Erden hatte um ihre Kinder mehr geweint und gelitten als ich. Morgen, erst morgen würde das neue Leben beginnen, von dem ich geträumt hatte. »Beruhige dich, Suna, es ist doch alles gut gegangen«, dachte ich bei mir und schämte mich für mein Mißtrauen S. gegenüber. Ja, S.! Schlief sie? Ich schaute durch ihr Schlüsselloch; das Licht brannte. Sie wird noch lesen, dachte ich. Ich wollte so gerne, für einen kurzen Augenblick, zu ihr gehen, sie umarmen, ihr innige Verbundenheit und meinen unendlichen Dank für mein Glück, das ihr Werk war, mitteilen, ich konnte es nicht. »Gute Nacht, Schwester«, flüsterte ich vor ihrer Tür, »all diese Englein in diesem frommen Haus sollen dich dein Leben lang beschützen«.

Am nächsten Morgen warf ich als erstes den Koffer der Kinder samt Kleidung – vermutlich alles von der Altkleidersammlung – in den Müllcontainer; nur einige wenige Sachen wählte ich vorher aus. Die Schwestern wuschen alles unten in der Waschküche, bügelten und flickten es. Als zweites schnitt S. den beiden die Haare, und wir wuschen und rieben sie, trockneten und kämmten sie, machten sie schön. Nach dem Frühstück liefen wir in die Stadt und landeten als erstes in der Spielwarenabteilung eines Kaufhauses. Nach langem

Reden überzeugten wir sie doch, daß es ratsam sei, das Fahrrad und die Puppe erst dann zu kaufen, wenn wir in wenigen Wochen zu Hause wären. Denn ansonsten müßten wir das Rad hier stehen lassen. Unser Haus sei schließlich viele Autostunden entfernt. Ich selber wußte noch nichts von unserem zukünftigen Zuhause. S. hatte mir nur soviel erzählt, daß Herr Angelos und Schwester A. eine kleine Wohnung für mich gemietet hatten, die noch renoviert werden mußte, solange wir in diesem Kloster die Zeit überbrückten. Einige Einrichtungsgegenstände hätte man auch zugesichert, außerdem gab dieses kirchliche Büro etwas Geld als Überbrückung, bis ich eine Arbeit gefunden hatte. Sie selbst wollten auch für mich auf die Suche nach einer Arbeit gehen. Es waren alles so gute Nachrichten, daß es mir wie im Traum vorkam, doch begleitete mich immer und überall dieses verdammte Mißtrauen und die Angst, daß in all diesen traumhaften Ereignissen ein böser Wurm stecken konnte ...

Nach und nach gewöhnten sich meine Kinder an mich, kamen immer näher, kuschelten sich im Bett an mich, sagten auch immer inniger »Mama«. Die uns in diesem Kloster umgebende Natur mit Bäumen voller Obst und tausenderlei Paradiesblumen, die frische Luft auf dem Berg, die bescheidene und liebevolle Umarmung der den Frauen in diesem Kloster, die Liebe und der Frieden heilten uns und führten uns ganz fest zueinander. S., die unsere frohe Dreisamkeit bemerkte, reiste bald ab, ließ uns drei alleine, versprach, uns bald zu holen. Die Kinder spielten den ganzen Tag friedlich im Hof, manchmal las ihnen eine Schwester Gutenachtmärchen vor, spielte und sang mit ihnen. Ich hatte Wolle und Stricknadeln gekauft und saß lange Stunden auf der Bank im Garten, beobachtete meine Kinder, und ein Gefühl der Lebensfreude drang durch all meine Poren, das ich noch nie gekannt hatte. Die Klostertage vergingen ungemein schnell. Unsere Wohnung weit im Norden, in einem winzigen Vorort der Stadt, war soweit fertiggestellt. Bald darauf begann die Schule, Murat wurde auf die Sonderschule geschickt. Er stotterte. In der Nacht des Geschehens war er dabei gewesen. Eine lange Zeit hatte er das Sprechen verlernt, nur Kauderwelsch gesprochen, und später stotterte er. Die Lehrer seiner Schule versicherten mir, sobald er wieder normal spreche, würden sie ihn wieder in die Schule der normalen Kinder zurückholen. Meral ging in einen Ganztagshort. Auch Murat ging nach der Schule dorthin. Sie spielten, aßen dort und waren gut aufgehoben, während ich in einem christlichen Altenheim in der Küche Töpfe spülte.

Ich putzte den ganzen Tag und dankte Gott für meinen inneren Frieden, dankte den guten Herzen, die, ohne Gegenleistung zu erwarten, mir und meinen Kindern das Leben gerettet hatten. Noch vor kurzem hätte ich all das, was mit mir geschah, für ein Märchen gehalten. Doch es ist wahr, es gibt gute Menschen, die selbstlos um den Frieden und das Glück anderer kämpfen. Weil ich das weiß, halte ich auch jede Demütigung meiner Hausherrin aus. Nein, sie macht kein Hehl aus ihrem Haß mir gegenüber, sagt auch offen, daß ich fortgehen solle, sie wolle keine Mörderin in ihrem frommen Haus haben. Meine Stelle könne sie stündlich mit hundert anderen besetzen, mit Deutschen, mit anständigen Christen, sagt sie.

Ich arbeite fleißig, bin stumm, sage nie etwas, esse kaum, bin pünktlich und sauber. Ich arbeite jeden Tag freiwillig länger, mache freiwillig unbezahlte Überstunden. Ihr ist nichts gut genug, was von mir kommt. Was soll ich machen, wohin soll ich gehen? Es war ohnehin ungemein schwer, mit meinen Papieren eine Arbeitsstelle zu finden. Ich wollte irgendwie versuchen, es zu ertragen, wenn sie mich demütigte. Wenn sie bloß nicht noch die alten Menschen in diesem Haus gegen mich aufhetzen würde. Anfangs waren alle sehr nett zu mir, fragten hin und wieder nach meinem Wohlbefinden, erkundigten sich nach meinen Kindern. Ich erledigte manche Gefälligkeiten für sie, machte Besorgungen oder putzte ihr Zimmer wenn sie mich darum baten. Sie steckten mir etwas Geld zu oder gaben mir eine Tafel Schokolade für die Kinder. Seitdem sie von ihr wissen, was mit mir geschehen ist, drehen sich die Leute weg, wenn ich ihnen begegne. Das betrübt mich sehr. Ich arbeite noch mehr, in der Hoffnung, daß sie ihren Fehler vielleicht einsieht und mich in Ruhe läßt.

Vorgestern befahl sie mir, die Dachkammer zu putzen; ich tat es. Etwas zu gründlich vielleicht, die Kammer hatte bestimmt seit Ewigkeiten keinen Putzlappen gesehen. Ich putzte so eifrig den ganzen Tag, daß ich sogar die Essenszeiten verpaßte. Gegen Abend wollte ich noch das letzte Stück unter dem schweren Schrank putzen, kroch darunter und hob ihn mit dem Rücken an, damit ich in die Ecken kam. Da krachte es in meinen Rippen. Seit gestern kann ich nicht mehr gerade gehen; kaum rede ich oder huste, tut es mir weh, daß ich schreien möchte. Das darf ich jedoch nicht tun, und so arbeite ich weiter, beiße die Zähne zusammen, verkneife mir jede Äußerung, unterdrücke den Schmerz. Was blieb mir anderes übrig?

Ich wußte, es war ein Wunder. Ich wußte, es war nicht die Regel, schon gar keine Selbstverständlichkeit nach hiesigen Gesetzen, daß ich als Ausnahmefall hier geduldet wurde. Dieses Wunder ist Beweis genug dafür, daß die Guten siegen werden. Ich habe meine Tat gebüßt. Wenn es Gerechtigkeit auf Erden gibt, müßte mir nun Friede gegönnt sein. Mir und meinen Kindern.

Anmerkungen

Das Gedicht Nâzim Hikmets wurde dem Band
»Menschenlandschaften aus meinem Land«,
übersetzt von Helga Dağyeli-Bohne und Yıldırım
Dağyeli, entnommen. Er erscheint Ende 1991
im Dağyeli Verlag.

* Das Zitat ist Luise Rinsers »Gefängnistagebuch«,
Fischer Verlag 1981, entnommen.
** Das Zitat ist Eysencks »Kriminalität und Per-
sönlichkeit« entnommen.

Çay: Türkisch: Tee.

Dolmuş: Sammeltaxi bzw. Kleinbus.

Gecekondu: Über Nacht gebautes Slumhaus aus
Pappe, Holzbrettern und Ziegelsteinen.

Gelin: Türkisch: Braut.

Hoca: Hodscha, türkisch-islamischer Geistlicher.

Kahve: Türkisch: Kaffee.

Saz: Türkisches langhalsiges Saiteninstrument.

Tezek: Aus Kuhmist und Heu rund geformtes Feue-
rungsmittel, das in ländlichen Gebieten heute
noch verwendet wird.

Zur Aussprache der türkischen Namen

c = dsch

ç = tsch

ğ = velarer Reibelaut wie das deutsche »j«
    oder »gh«

ı = i ohne Punkt ist ein dumpfer Laut, mit zurück-
    gezogener und gesenkter Zunge zu sprechen

j = französisches »j« wie in »Journal«

s = deutsches »ß«

ş = sch

v = deutsches »w«

y = deutsches »j«

z = stimmhaftes »s«

Saliha Scheinhardt bei Herder/Spektrum

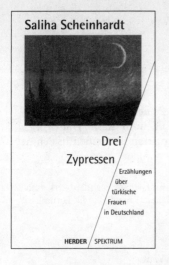

Saliha Scheinhardt

Drei
Zypressen

Erzählungen
über
türkische
Frauen
in Deutschland

HERDER / SPEKTRUM

Drei Zypressen
Erzählungen über türkische Frauen
in Deutschland
Band 4080

Sie leben mitten unter uns, aber wir kennen sie nicht. Sie stehen
im Spannungsfeld zweier Kulturen, zerrieben zwischen
traditioneller Prägung und der kraftvollen Sehnsucht nach
Eigenständigkeit. Was heißt es, eine türkische Frau in Deutschland
zu sein? Saliha Scheinhardt erzählt drei authentische Schicksale,
die unter die Haut gehen. Ein herausforderndes und sehr
politisches Stück Frauenliteratur über das Leben in der Fremde.

Und die Frauen weinten Blut
Erzählungen
Band 4188
Saliha Scheinhardt beschreibt in ihrem unverwechselbaren, klaren
Stil drei Frauenschicksale zwischen türkischen Slums und dem
„gelobten Land" Deutschland.
„Ein sensibles und eindringliches Buch" (Merkur).

HERDER / SPEKTRUM

Frauen heute: sanft und rebellisch

Christine Swientek
Mit 40 depressiv, mit 70 um die Welt
Wie Frauen älter werden
Band 4010
Älterwerden nicht als Last, sondern als Lust und Chance.

Frauenlexikon
Wirklichkeiten und Wünsche von Frauen
Hrsg. von Anneliese Lissner, Rita Süssmuth, Karin Walter
Mit einem aktuellen Beitrag zur Situation der Frauen in den neuen
Bundesländern von J. Gysi und G. Winkler
Band 4038
Kompetent, engagiert, wegweisend: das umfassende Standardwerk zum
Thema Frau. „Der Konsens fortschrittlicher Frauen" (Publik-Forum).

Sabine Brodersen
Inge
Eine Geschichte von Schmerz und Wut
Band 4059
Zwei junge Frauen. Eine Krankenschwester wird die Bilder von Inges
Operation nicht los. Mitreißend intensiv und hautnah erzählt.

Betty Jean Lifton
Reise ins Labyrinth der Kindheit
Memoiren einer Adoptivtochter
Band 4085

Christine von Weizsäcker/Elisabeth Bücking (Hrsg.)
Mit Wissen, Widerstand und Witz
Frauen für die Umwelt
Band 4093
Sie blockieren, demonstrieren und intervenieren. In allen Teilen der Welt
kämpfen engagierte Frauen den Kampf für die Umwelt, gegen Lobbyisten
und Dummheit.

HERDER / SPEKTRUM

Gunda Schneider
Noch immer weint das Kind in mir
Eine Geschichte von Mißbrauch, Gewalt und neuer Hoffnung
Mit einem Nachwort von Irene Johns
Band 4097

Alle haben es gemerkt und jeder hat geschwiegen – auch Gunda selbst. Erst als erwachsene Frau kann sie die Erfahrung des Inzests in Worte fassen.

Irmgard Johannis
Das siebente Brennesselhemd
Aufzeichnungen einer Alkoholkranken
Band 4101

Tagebuchaufzeichnungen einer Frau: von der Verzweiflung zum Begreifen, daß die Erlösung aus der Abhängigkeit von ihr selbst zu leisten ist.

Fatema Mernissi
Der politische Harem
Mohammed und die Frauen
Band 4104

„Fesselnd, mit großer Sensibilität, einer Mischung aus Zurückhaltung und Kühnheit geschrieben" (Le Figaro).

Barabara Krause
Camille Claudel – ein Leben in Stein
Roman
Band 4111

Sie war ein Genie und zerbrach an der Ignoranz ihrer Zeit. Die mitreißende Geschichte eines Lebens gegen jede Konvention.

Julie und Dorothy Firman
Lieben, ohne festzuhalten
Töchter und Mütter
Band 4117

Ein einfühlsames, ehrliches Buch für ein geglücktes Verhältnis von Töchtern und Müttern in allen Phasen des Lebens.

HERDER / SPEKTRUM

Thea Bauriedl
Wege aus der Gewalt
Analyse von Beziehungen
Band 4129

Gewalt und Mißbrauch zwischen den Geschlechtern, die alltäglich
gewordenen Aggressionen in unserer Gesellschaft. Die bekannte
Psychoanalytikerin entwirrt komplizierte Beziehungen.

Gisela Steineckert
Aus der Reihe tanzen
Ach Mama! Ach Tochter!
Band 4147

Gisela Steineckert spürt der besonderen Beziehung von Frauen nach.
Ein engagiertes Stück Literatur gegen jede Form von Anpassung.

Ursula Salentin
Ich bleibe Rita Süssmuth
Eine Biographie
Band 4162

Das packende Portrait einer profilierten Politikerin, die sich mit
Zivilcourage, Kompetenz und Fairneß für ihre Ziele einsetzt.

Sylvia Curruca
Als Frau im Bauch der Wissenschaft
Was an den deutschen Universitäten gespielt wird
Band 4180

Was frau im männerbesetzten Hochschulalltag so alles erleben kann. Die
bissige Abrechnung mit einem zweifelhaften System.

Ruth Salama
Tausendundeine Station
Ein Frauenleben zwischen Berlin und Kairo
Band 4190

Eine starke, faszinierende Frau findet ihren eigenen Weg: Die Liebe zu
einem Ägypter läßt sie ausbrechen in eine fremde Kultur.

HERDER / SPEKTRUM